《脊柱伤病1000个为什么》丛书 | 总主编　韦以宗

第六分册

# 椎间盘突出84个为什么

主编　林远方　康　雄　林　峰

中国中医药出版社
·北 京·

**图书在版编目（CIP）数据**

椎间盘突出 84 个为什么 / 林远方，康雄，林峰主编．—北京：中国中医药出版社，2019.6
（脊柱伤病 1000 个为什么）
ISBN 978－7－5132－5486－1

Ⅰ．①椎…　Ⅱ．①林…②康…③林…　Ⅲ．①椎间盘突出－防治－问题解答　Ⅳ．① R681.5-44

中国版本图书馆 CIP 数据核字（2019）第 040579 号

---

**中国中医药出版社出版**
北京经济技术开发区科创十三街 31 号院二区 8 号楼
邮政编码　100176
传真　010-64405750
廊坊市晶艺印务有限公司印刷
各地新华书店经销

开本 880×1230　1/32　印张 3.5　字数 59 千字
2019 年 6 月第 1 版　　2019 年 6 月第 1 次印刷
书号　ISBN 978－7－5132－5486－1

定价　35.00 元
网址　www.cptcm.com

**社长热线　010-64405720**
**购书热线　010-89535836**
**维权打假　010-64405753**

**微信服务号　zgzyycbs**
**微商城网址　https://kdt.im/LIdUGr**
**官方微博　http://e.weibo.com/cptcm**
**天猫旗舰店网址　https://zgzyycbs.tmall.com**

如有印装质量问题请与本社出版部联系（010-64405510）

# 《脊柱伤病1000个为什么》丛书
# 编委会

总主编　韦以宗

第一分册主编　梁倩倩　李晨光

第二分册主编　安　平　谭树生　郭勇飞

第三分册主编　杨宗胜　郑黎光　陈世忠

第四分册主编　张盛强　关宏刚

第五分册主编　王秀光　王慧敏

第六分册主编　林远方　康　雄　林　峰

第七分册主编　张　琥　赵　帅

第八分册主编　韦春德　应有荣　王　刚

第九分册主编　梅　江　王云江　韦松德

第十分册主编　高　腾　陈剑俊　吴　宁

第十一分册主编　任　鸿　戴国文

第十二分册主编　田新宇　杨书生

第十三分册主编　王　松　张汉卿　张国仪

第十四分册主编　陈文治　吴树旭

第十五分册主编　潘东华　林廷文

学术秘书　王秀光（兼）　杨淑雯　韦全贤

评审专家　（按姓氏笔画排序）

王秀光　韦春德　李俊杰　吴成如

邹　培　陈文治　林远方

# 第六分册
# 《椎间盘突出84个为什么》
# 编委会

《脊柱伤病1000个为什么》是一套科普作品，向大众普及人体脊柱解剖结构、运动功能、运动力学知识及常见脊柱伤病的病因病理和诊断治疗、功能锻炼、预防养生的基本知识，共15分册，即《脊柱解剖名词120个为什么》《脊柱运动与运动力学100个为什么》《脊椎错位是百病之源70个为什么》《脊椎骨折80个为什么》《颈椎病86个为什么》《椎间盘突出84个为什么》《胸背痛30个为什么》《青少年脊柱侧弯64个为什么》《腰椎管狭窄症54个为什么》《腰椎滑脱48个为什么》《下腰痛30个为什么》《青年妇女腰胯痛30个为什么》《脊椎骨质疏松54个为什么》《脊柱保健练功100个为什么》《脊柱食疗保健50个为什么》。

2016年10月25日，中共中央国务院发布《健康中国2030规划纲要》指出：“大力发展中医非药物疗法，使其在常见病、多发病和慢性病防治中发挥独特作用。”“到2030年，中医药在治未病中的主导作用……得到充分发挥。”[①]

新版《中华人民共和国职业大典》新增的专业——中医整脊科，正是以“调曲复位为主要技术”的非药物疗法。该学科对人类脊柱运动力学的研究，揭示的脊柱后天自然系统，将在防治脊柱常见病、多发病和慢性病以及治未病中起到独特作用和主导作用。

## 一、脊柱与健康

当前，颈腰病已严重威胁人类的健康，世界卫生组织已将颈椎病列为十大危害人类健康之首。据有关资料表明，颈腰病年发病率占30%。在老年人疾病中，颈腰病占43%，并波及青少年。据调查，有18.8%的青少年颈椎生理曲度消失、活动功能障碍。

脊柱可以说是人体生命中枢之一，它包括了人体两大系统，即骨骼系统的中轴支架和脊髓神经系统。除外自身疾病，人体的器官（除大脑之外）几乎都受脊髓神经系统的支配。所以，美国脊骨神经医学会研究证明，人体有108种疾病是脊椎错位继发。

① 《中国中医药报》2017年8月7日发表的“中医整脊学：人类脊柱研究对健康的独特作用”。

当今，危及人类生命的肿瘤与癌症，一般多认为是免疫功能障碍所致。中医学将人类的免疫功能称为“阳气”，“阳气者，若天与日，失其所，则折寿而不彰”（《素问·生气通天论》）。而位于脊柱的督脉总督阳经，是“阳脉之海”（《十四经发挥》）。可见，脊柱损伤，不仅自身病变，而且骨关节错位，导致脊神经紊乱而诱发诸多疾病。脊椎移位，督脉受阻，阳气不彰（免疫功能下降），可导致危及生命的病症。因此，脊柱的健康也是人体的健康。

## 二、中医整脊学对人类脊柱的研究

中医对人体生命健康的认知，是“道法自然”“天人合一”的，对脊柱的认识是整体的、系统的、动态的。伟大的科学家钱学森说过：“系统的理论是现代科学理论里一个非常主要的部分，是现代科学的一个重要组成部分。而中医理论又恰恰与系统论完全融合在一起。”系统论的核心思想是整体观念。钱学森所指的中医系统论，不仅仅局限在人体的系统论，更重要的是天人合一的自然整体观。

系统在空间、时间、功能、结构过程中，没有外界特定干预，这个系统是“自然组织系统”，又称“自组织系统”。人体生命科学的基本概念是“稳定的联系构成系统的结构，保障系统的有序性”。美国生理学家 Cannon 称为生命的稳态系统，即人体是处在不断变化的外环境中，机体为了保证细胞代谢的正常进行，必须要求机体内部有一个相对稳定的内环境。人类脊柱稳态整体观，表现在遗传基因决定的脊柱骨关节系统、脊髓脊神经系统和附着在脊柱的肌肉韧带系统的有序性。

我们将遗传基因决定形成的系统，称为“脊柱先天自然系统”，即“先天之炁”。如果说，脊柱先天自然系统是四足哺乳动物共同特征的话，中医整脊学对人类脊柱的研究，则揭示了人类特有的“脊柱后天自然系统”，即“后天之气”。

中医整脊学研究证明，人类新生儿脊柱与四足哺乳动物脊柱是一个样的，即没有颈椎和腰椎向前的弯曲。当儿童 6 个多月坐立后，出现腰椎向前的弯曲（以下简称“腰曲”）；当 1 周岁左右站立行走后，颈椎向前的弯曲（以下简称“颈曲”）形成。颈曲和腰曲形成至发育成熟，使人类的脊柱矢状面具备 4 个弯曲——颈曲、胸曲、腰曲和骶曲。这四个弯曲决定了附着脊柱的肌肉韧带的序列，椎管的宽度，脊神经的走向，脊柱的运动功能，乃至脏腑的位置，这是解剖生理的基础。特别是腰曲和颈曲，是人类站立行走后功能决定形态的后天脊柱自然系统组成部分。中医整脊学称之为“椎曲论”，即颈腰椎曲是解剖生理的基础、病因病理的表现、诊断的依据、治疗的目标和疗效评定的标准，是中医整脊科的核心理论之一。

中医整脊学对人类脊柱研究发现另一个后天自然系统，是脊柱四维弯曲体圆运动规律。人类站立在地球上，脊柱无论从冠状面或矢状面都有一中轴线——圆心线。颈椎前有左右各一的斜角肌，后有左右各一的肩胛提肌和斜方肌；腰椎前有左右各一的腰大肌，后有左右各一的竖脊肌。这四维肌肉力量维持脊柱圆运动，维持系统的整体稳态。

由于系统是关联性、有序性和整体性的，对于脊柱整体而言，腰椎是结构力学、运动力学的基础。腰椎一旦侧弯，下段胸椎反向侧弯，上段胸椎又转向侧弯，颈椎也反侧弯；同样，腰曲消失，颈曲也变小，如此维持中轴平衡。

中医整脊学研究人类脊柱发现的脊柱后天自然系统，还表现在脊柱圆筒枢纽的运动力学，以及脊柱轮廓平行四边形平衡理论上。脊柱的运动是肌肉带动头颅、胸廓和骨盆三大圆筒，通过四个枢纽关节带动椎体小圆筒产生运动的。脊柱轮廓矢状面构成一个平行四边形几何图像，从而维持其系统结构的关联性、有序性和整体性。

## 三、疾病防治的独特作用和主导作用

脊柱疾病的发生，就是脊柱系统整体稳态性紊乱。整体稳态性来源于生命系统的协同性，包括各层次稳态性之间的协同作用。脊柱先天性自然系统的稳态失衡，来源于后天自然系统各层次稳态性协同作用的紊乱。根据系统整体稳态的规律，我们发掘整理中医传统的非药物疗法的正脊骨牵引调曲技术，并通过科学研究，使之规范化，成为中医整脊独特技术。以此非药物疗法为主要技术的中医整脊学，遵循所创立的“理筋、调曲、练功”三大治疗原则，“正脊调曲、针灸推拿、内外用药、功能锻炼”四大疗法，以及“医患合作、筋骨并重、动静结合、内外兼治、上病下治、下病上治、腰痛治腹、腹病治脊”八项措施的非药物疗法为主的中医整脊治疗学。调曲复位就是改善或恢复脊柱的解剖生理关系，达到对位、对线、对轴的目的。

根据脊柱后天自然系统——脊柱运动力学理论指导形成的中医整脊治疗学，成为脊柱常见病、多发病和慢性病共25种疾病的常规疗法，编进《中医整脊常见病诊疗指南》。更重要的是，中医整脊非药物疗法为主的治疗技术，遵循系统工程的基本定律，即“系统性能功效不守恒定律”，是指系统发生变化时，物质能量守恒，但性能和功效不守恒，且不守恒是普遍的、无限的。其依据是：由物质不灭定律和能量守恒定律可知，系统内物质、能量和信息在流动的过程中物质是不灭的、能量是守恒的，而反映系统性能和功效的信息，因可受干扰而失真、放大或缩小，以至湮灭，故是不守恒的。

脊柱疾病的发生，是后天自然系统整体稳态（性能和功效）失衡，影响到先天自然系统的物质和能量（骨关节结构、神经、血液循环和运动功能）紊乱，进而发生病变。中医整脊学非药物为主的治疗方法，就是调整后天自然系统的性能和功效，维护先天自然系统的物质和能量（不损伤和破坏脊柱骨关节结构等组织），是真正的“道法自然”的独特疗法，也必将在脊柱病诊疗中起到主导作用。

另一方面，中医整脊在研究人类脊柱圆运动规律中，发现青年人端坐 1 小时后，腰曲消失，颈曲也变小，证明脊柱伤病的主要病因是“久坐”导致颈腰曲紊乱而发生病变，因此提出避免“久坐”，并制订“健脊强身十八式”体操，有效防治脊柱伤病。脊柱健，则身体康。中医整脊学对人类脊柱的研究，在治未病中的主导作用，必将得到充分发挥。

综上所述，《脊柱伤病 1000 个为什么》丛书将有助于广大读者了解自身的脊柱，以及脊柱健康对人体健康的重要性，进而了解脊柱常见疾病发生和防治的规律，将对建设健康中国、为人类的健康事业做出贡献。

世界中医药学会联合会脊柱健康专业委员会

会长　韦以宗

2018年8月1日

# 目录

CONTENTS



## 一 概念



## 二 病因病理

## 三 诊断

## 四 预防

# 一 概念

## 1. 为什么叫椎间盘?

答：两个椎体间形如盘状的连接结构，叫椎间盘。其为一组合名词，由纤维环和髓核构成（图 1）。髓核位于中央，为具有弹性的胶状物质，可随外部压力而改变其位置和形状；而髓核周围层状环绕、排列紧密的纤维组织称为纤维环，可把髓核牢牢固定在中央。如果把椎间盘比喻成一个扁扁的包子，那么髓核就是包子馅，而纤维环就是包子皮（图 2）。

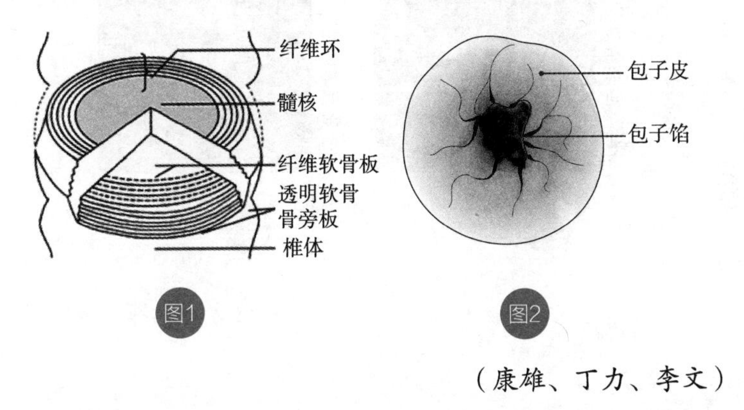


图1　图2

（康雄、丁力、李文）

## 2. 为什么正常颈腰椎间盘的髓核是在椎间隙前方?

答：胚胎时期及新生儿的脊柱与四足哺乳动物相似，从髓核形成后到出生时颈腰椎间盘的髓核均稳定于椎间隙中间。出生6个月后因坐位形成向前的腰椎生理弯曲，椎体向前的压应力将髓核由中间推向前方，原来的位置则充盈水分。1周岁后因站立行走形成向前的颈椎生理弯曲，椎体向前的压应力也将髓核由中间推向前方，因此说正常颈腰椎间盘的髓核是在椎间隙前方（图3、图4）。

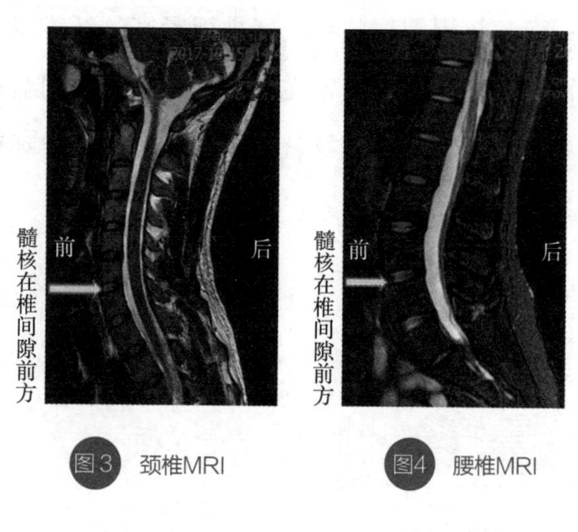


图3 颈椎MRI　　图4 腰椎MRI

（林远方、林峰、王方生）

## 3. 为什么正常胸椎椎间盘的髓核是在椎间隙中后方？

答：从胚胎发育到出生后，人类的胸椎均与四足哺乳动物一样，维持向后的生理弯曲，髓核稳定于椎间隙中后方。

而出生6个月能坐形成腰椎生理弯曲及1周岁能站形成颈椎生理弯曲后，胸椎依然维持向后的生理弯曲，也就是说从胚胎发育到出生至发育成熟，胸椎生理弯曲始终没有改变，从而使胸椎椎间盘的髓核一直维持在椎间隙中后方（图5）。

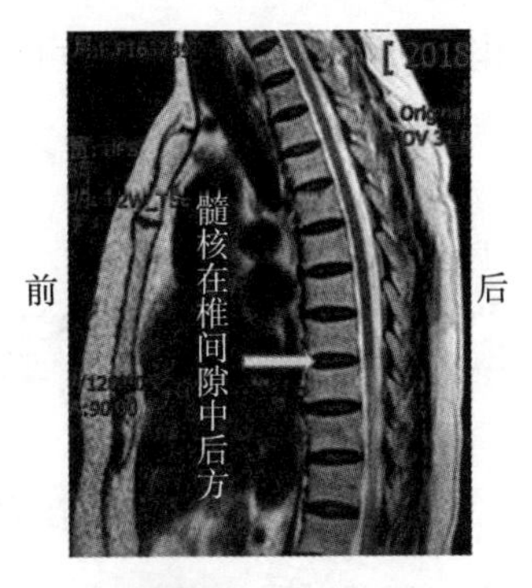


图5 胸椎MRI

（林远方、林峰、王方生）

## 4. 为什么椎间盘能承受脊柱负荷及增加脊柱灵活性、稳定性？

答：人类脊柱有23个椎间盘联结椎体之间，当椎体承受纵向负载时，椎间盘髓核的良好弹性借纤维环向外周膨胀，可大大缓冲压力，椎间盘就像弹簧垫一样垫在椎体间起减震作用，承受着脊柱负荷（图6）。而人类腰曲、颈曲的形成，椎体向前的压应力将髓核由中间推向前方，原来的位置则充盈水分而使颈腰椎间盘具备液态静力，在脊柱运动时椎间盘髓核可前后左右滚动，在肌

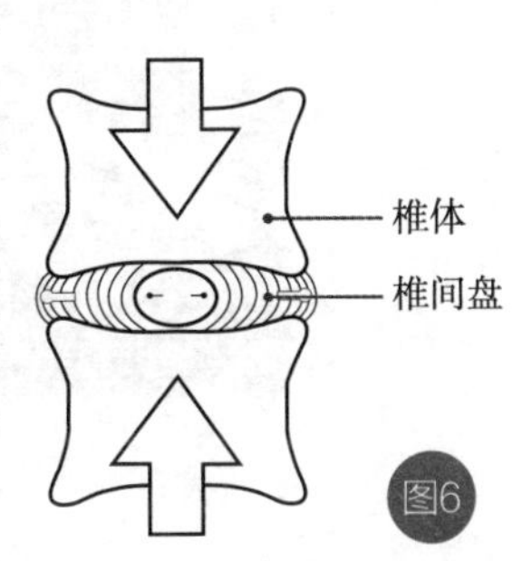


图6

肉和神经的协同作用下可增加脊柱的灵活性、稳定性。

（康雄、韦杰生、李文）

## 5. 为什么胸椎椎间盘不能活动?

答：从胚胎发育到新生儿出生直至发育成熟，人类的胸椎均与四足哺乳动物一样，一直维持着向后的生理弯曲（图7），髓核持续稳定于椎间隙中后方，髓核周围没有空间被水分充填而使胸椎椎间盘不具备液态静力，因而胸椎椎间盘不能活动。

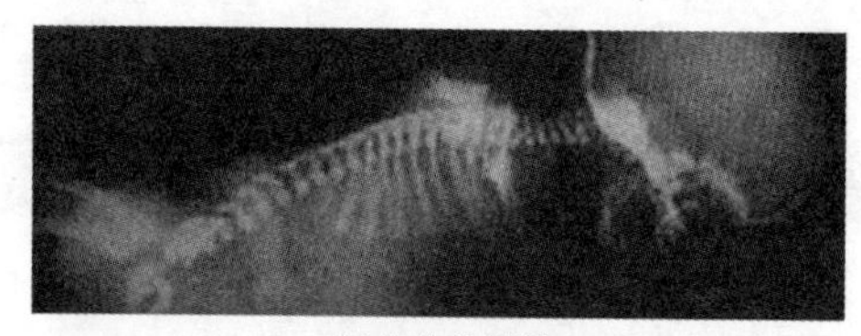

新生儿的脊柱

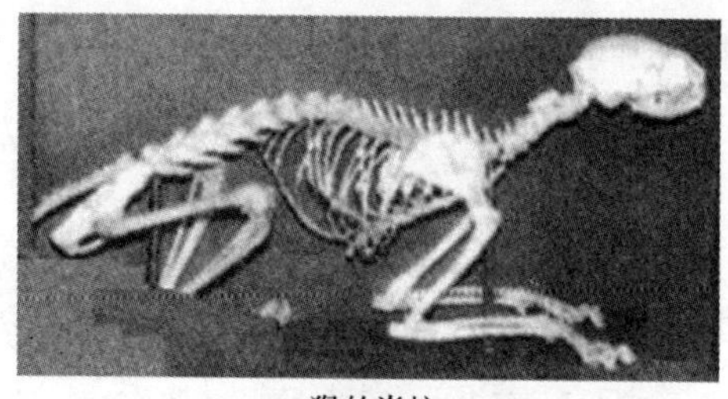

猴的脊柱

图7

（康雄、韦杰生、李文）

# 二 病因病理

## 6. 为什么椎间盘不会自行突出？

答：正常情况下，后天发育形成的腰曲和颈曲使腰椎和颈椎椎间盘具备液态静力，但其自身没有动力，因此韦以宗教授指出：没有后天站立形成颈腰曲，髓核是不会活动的。不过如果脊柱周围肌力失衡，使椎体旋转、倾斜、椎曲异常，椎体压应力将赋予椎间盘髓核向外突出的动力（图 8）。打个比方，两个相邻椎体就形同石磨，只有石磨转动了，石磨中间的豆子才会被磨成豆浆流出来（图 9），所以说椎间盘是不会自行突出的。

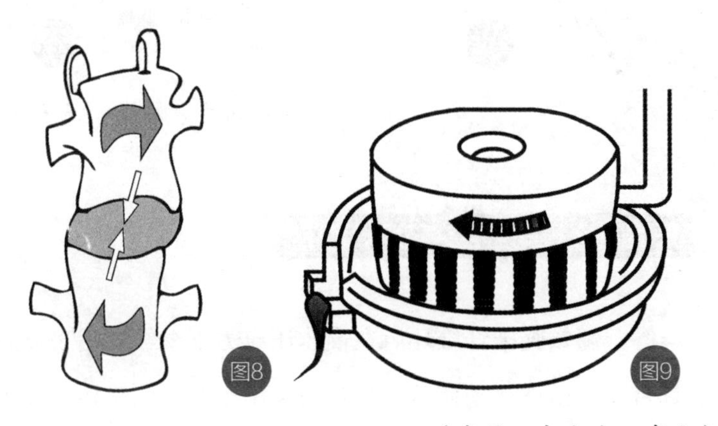
图8 图9

（康雄、韦杰生、李文）

## 7. 为什么椎间盘会突破纤维环?

答：椎间盘突破纤维环多见于青壮年急性腰扭伤（图10）。由于外力作用使椎体剧烈旋转，对纤维环形成剪力，同时髓核在椎体的压应力作用下从撕裂的纤维环突出（图11），发生急性腰腿痛，经卧床休息或治疗后疼痛可消失，但突出的椎间盘未能回纳，形成陈旧性突出。

图10
图11

（林远方、林峰、王方生）

## 8. 为什么椎间盘会突破后纵韧带?

答：髓核突破纤维环后在椎体压应力下继续向后挤压后纵韧带，而椎体运动使后纵韧带与突出于其前的髓核之间不断发生摩擦、磨损，随着时间的推移，髓核就可突破磨损撕裂的后纵韧带进入椎管（图12）。

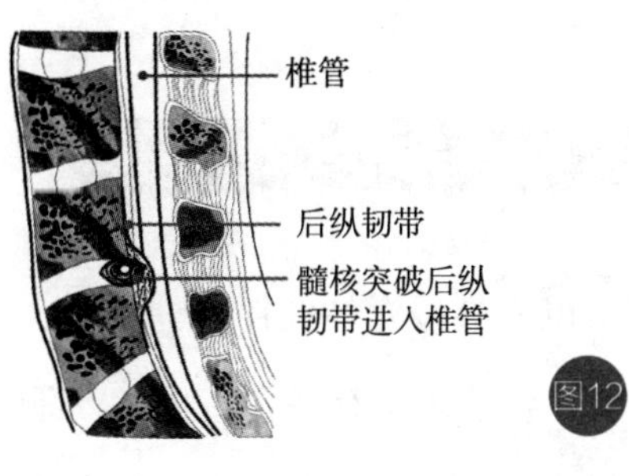

图12

（林远方、林峰、刘国科）

## 9. 为什么椎间盘突出程度有膨出、突出、脱出和游离之分?

答：椎间盘突出时，如果仅仅是向外膨大，但纤维环没有破，髓核也没有漏出来，称之为“膨出”，就好比包子仅仅是被压扁，直径变大了，但皮还没有破，馅也没有漏出来。如果包子皮破了，包子馅漏了一些出来，也就是说纤维环破了，髓核漏了一部分出来，则称为“突出”。如果髓核几乎全部漏了出来，就称为“脱出”，而如果脱出的髓核在重力作用下出现分离，则称之为“游离”（图13）。

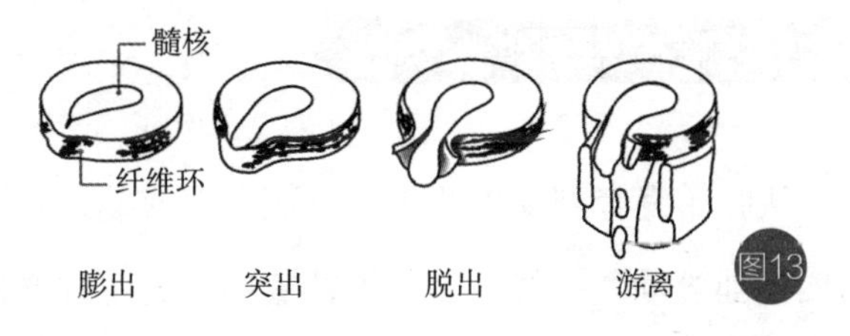

图13

（林远方、林峰、刘国科）

## 10. 为什么颈 5/6 椎间盘突出最为常见?

答：根据韦以宗教授脊柱圆筒枢纽学说，在各枢纽关节调控方向线段中，各节段均有一旋转拐点，即瞬时旋转中心，颅椎枢纽的传导力线与颈胸枢纽的传导力线延长线正好交汇于颈 5（图 14），使颈 5、颈 6 椎体的旋转频度及力度加大，而导致颈 5/6 椎间盘突出最为常见（图 15）。

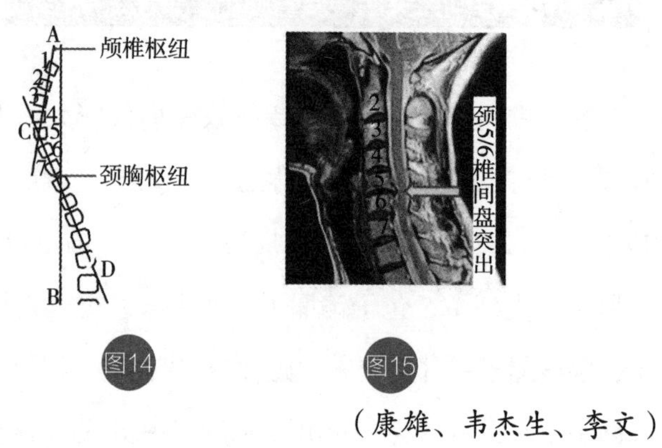


图14　图15

（康雄、韦杰生、李文）

## 11. 为什么胸椎少有椎间盘突出?

答：从胚胎发育到新生儿出生直至发育成熟，人类的胸椎均与四足哺乳动物一样，一直维持着向后的生理弯曲（图 16），髓核持续稳定于椎间隙中后方而不具备液态静力，因此胸椎椎间盘少有突出。

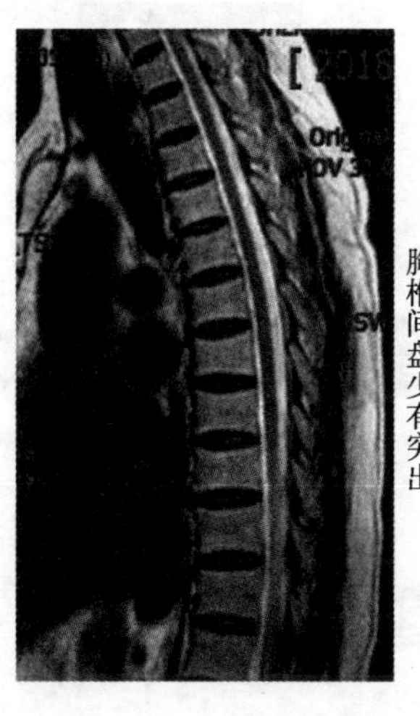


图16

（康雄、韦杰生、林廷章）

## 12. 为什么胸10/11、胸11/12易发椎间盘突出?

答：出生6个月后因坐位形成向前的腰椎生理弯曲，椎体向前的压应力将髓核由中间推向前方，原来的位置则有水分进入从而形成液态静力。由于第10~12胸椎与第1腰椎相邻并由榫状关节相接，第10~12胸椎已形成了由后向前的曲度趋势（图17），从而使这几节胸椎椎间盘具备了与腰椎椎间盘类似的液态静力，在椎体压应力作用下就使胸10/11、胸11/12椎间盘髓核较其他胸椎节段椎间盘的髓核活动度大，因此也就容易突出（图18）。

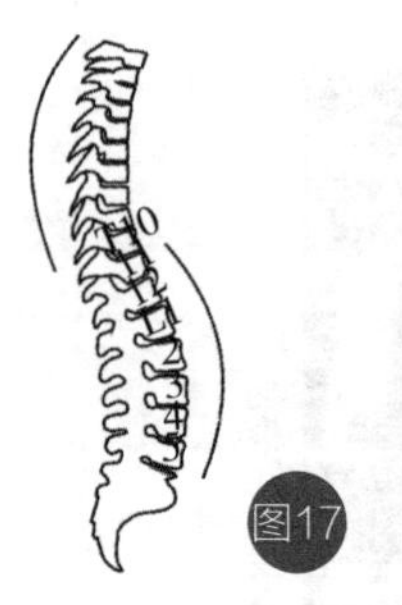
图17

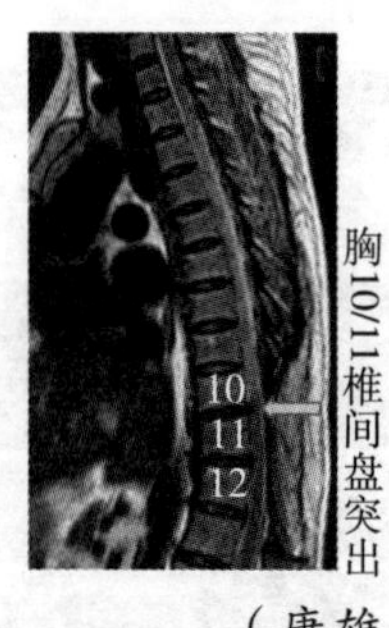

图18

（康雄、林廷章、李文）

## 13. 为什么椎间盘突出不一定有症状？

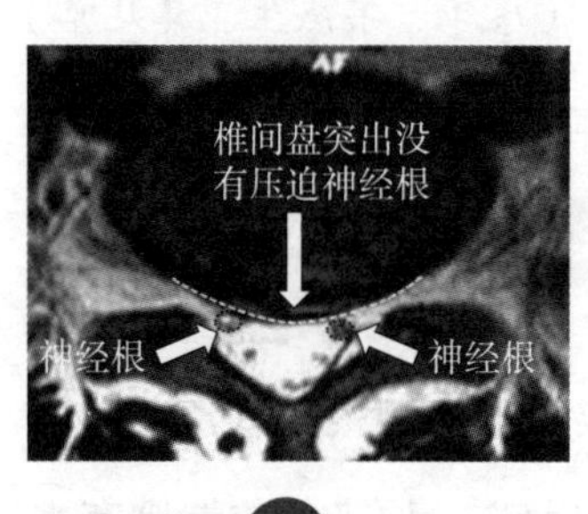

图19

答：很多年轻人体检时做MRI或CT发现有椎间盘突出但却无丝毫症状，这是因为椎间盘虽然向后突出于椎管，但脊神经并未与其触碰卡压，“井水不犯河水”，“和谐共处”，所以无症状（图19）。但如果因劳损或外伤等因素造成脊柱周围肌力失衡，使椎体旋转、位移、椎曲紊乱，椎间孔变形迫使神经根前移，与突出之椎间盘碰触，相互卡压，则产生椎间盘突出症。

（康雄、林廷章、胡飞）

## 14. 为什么椎间盘突出“青睐”重体力劳动或久坐的青壮年?

答：重体力劳动者脊柱往往需承受更多更大的扭转外力，而久坐者，因坐位时髋关节屈曲，髂腰肌松弛，竖脊肌紧张，腰曲受后侧紧张的竖脊肌牵拉而变直，在这个动态过程中，腰椎通过维系整条脊柱的纵韧带和棘间、棘上韧带将力向上传导，带动颈曲随之变直，以维持中轴力线的平衡。因此无论是重体力劳动者还是久坐者，都易出现椎曲变直改变，椎体旋转，对椎间盘造成压应力。由于青壮年时期椎间盘髓核富含水分，此时椎体压应力更容易造成椎间盘向后突出（图20），所以说椎间盘突出爱“青睐”重体力劳动或久坐的青壮年，韦以宗教授因此也指出：中老年人的椎间盘突出都是陈旧性突出，产生症状是因为椎体旋转位移、椎曲紊乱！

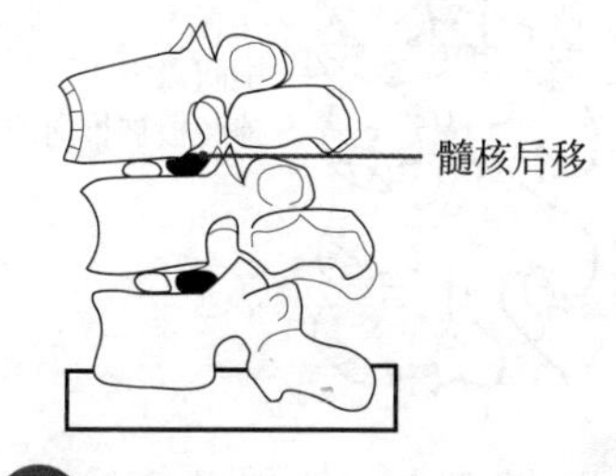


图20 重体力劳动或久坐椎间盘髓核后移

（康雄、丁力、林廷章）

## 15. 为什么说椎间盘突出是“果”，而关节紊乱是“因”？

答：椎间盘起到承载脊柱负荷和增加脊柱稳定性和灵活性的作用，在正常情况下颈椎、腰椎椎间盘具有液态静力而自身没有动力，其移动的动力来自于椎体的压应力，当椎体旋转位移、关节紊乱时，一方面可造成椎间盘突出，另一方面，上下关节突紊乱还可造成椎间孔变形，将神经根向前推移，与突出椎间盘触碰形成双“靶点”卡压而产生症状（图 21），所以说椎间盘突出是果，而关节紊乱才是主因。临床上很多椎间盘突出症患者，经整脊手法治疗后症状消失，但复查 MRI 仍显示有椎间盘突出，正是这一观点的最好验证。

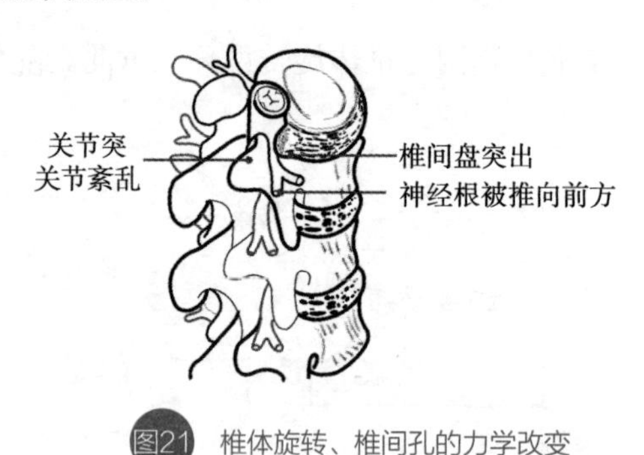


图21 椎体旋转、椎间孔的力学改变

（林远方、林峰、王方生）

## 16. 为什么中老年人颈椎间盘突出症会急性发作?

图22

答：中老年人的椎间盘突出往往都是陈旧性突出，有突出而可无症状，但为何又会急性发作呢？这是由于肌力失衡引起颈椎椎体旋转、关节紊乱、椎间孔变形，将神经根向前推移突然触碰原已突出的椎间盘而造成急性发作，表现为上肢剧烈的放射痛，患者常被迫上举上肢以减轻疼痛（图22）。

（康雄、林廷章、胡飞）

## 17. 为什么腰椎间盘突出症往往由早起弯腰洗面而诱发?

答：经过夜间卧床休息后，晨起时腰背肌等脊柱周围肌肉都相对松弛，脊柱稳定性下降，晨起洗面时弯腰就容易造成椎体旋转移位，椎间孔变形，令神经根突然触碰原已突出的椎间盘而诱发腰腿痛症状（图23）。因此，早起弯腰洗面也要注意。一方面起床前可

图23

先行腰背部功能锻炼，二要保持正确的姿势如膝部先微屈下蹲再向前适当弯腰。

（康雄、丁力、胡飞）

## 18. 为什么腰椎间盘突出症往往在闪腰后发生？

答：“闪腰”医学上又称为腰椎小关节紊乱，常因姿势不正确，动作不协调，或猛烈提物等造成腰痛急性发作、活动受限（图24）。但很多患者此后即诱发腰椎间盘突出症，出现下肢放射痛。这是因为“闪腰”造成关节紊乱后，上下关节突移位，椎间孔变形，将神经根向前推移，与突出椎间盘触碰形成双“靶点”卡压而产生症状。

图24

（康雄、林廷章、胡飞）

## 19. 为什么椎间盘有的向前突出，有的向后中央突出，而多数向后外突出？

答：因椎体旋转位移，关节紊乱，椎间盘的髓核在椎体压应力作用下可前后滚动，如向前的压应力可使髓核突向前，向后的压应力可使髓核突向后。多数情况下，由于脊柱周围肌肉肌力失衡，椎体旋转、倾斜、椎曲变直，椎间盘常受到向后的压应力而髓核向后突出多见。纤维环后部有后纵韧带加强，向后中央突出时一般不易突破后纵韧带；而后纵韧带的后外侧则较薄弱，所以髓核向后外侧突出更多见，常表现为突出甚或脱出（图 25），而产生较重症状。

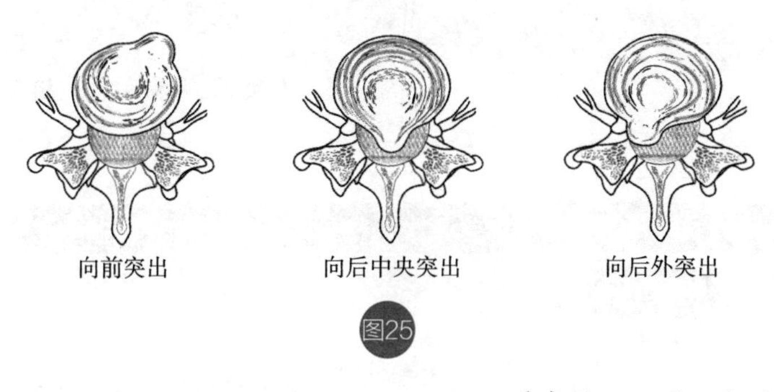


图25

（康雄、丁力、胡飞）

## 20. 为什么腰椎间盘突出会压迫脊神经？

答：脊神经根位于椎间盘后方的椎管内，当椎体旋转位移时可造成椎间盘向后突出，但不一定就压迫脊神经，因椎管是有一定空间的，所以临床上患者腰椎间盘突出而不一定有症状。但当椎体旋转、上下关节突紊乱造成椎间孔变形，神经根被向前推移受压，同时又与突出的椎间盘触碰形成双"靶点"卡压时，脊神经就会受到刺激和压迫，进而产生症状（图 26）。

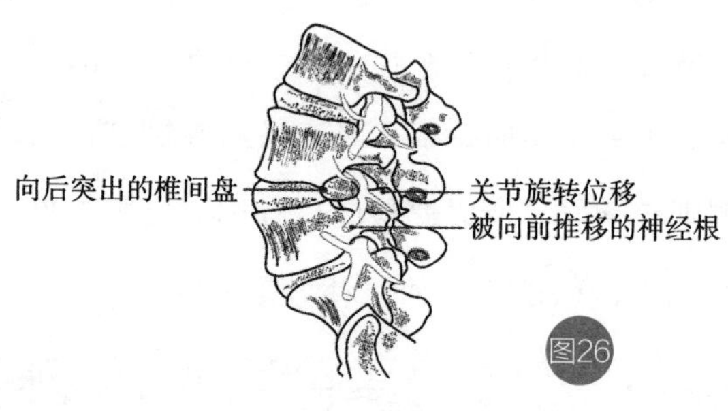


图26

（康雄、林廷章、胡飞）

## 21. 为什么韦以宗说中老年人椎间盘突出症是神经根碰椎间盘？

答：韦以宗教授认为：椎间盘的水分从 30 岁左右开始消失，中老年人的髓核逐渐退变纤维化，与纤维环粘连一起，因此即使受外力作用也不易再急剧突出，而原有突出往往是青壮年时期就有的，到中老年已是陈旧性突出，可无症状。但某一天出现症状时，并不是那一刻椎间盘才突然突出压迫神经根，而是由于椎体旋转倾斜、关节紊乱、椎间孔变形，将神经根推向前方，触碰原已突出的椎间盘而产生症状（图 27），所以说中老年人椎间盘突出症是神经根碰椎间盘。

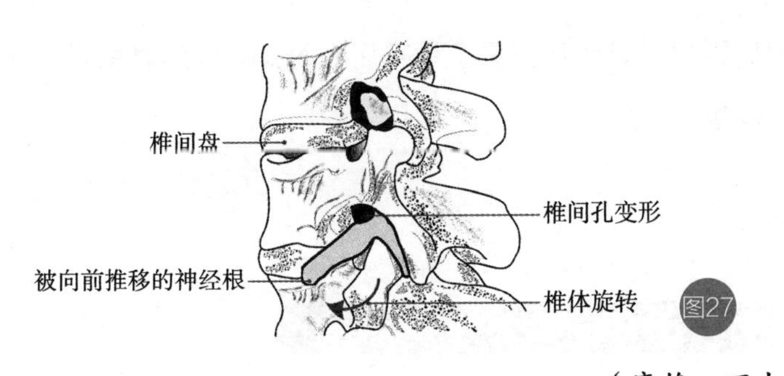


（康雄、丁力）

## 22. 为什么腰椎间盘突出症有的腰痛、有的腿痛、有的兼而有之?

答：突出的椎间盘如果只是刺激了纤维环周围的神经末梢如脊神经的后返神经（窦椎神经）时，患者常主诉腰痛（图28）。但椎间盘突出后如果继续出现椎体旋转移位、关节紊乱，则可导致椎间孔变形，神经根被推向前方，与突出的椎间盘发生触碰挤压，此时则可出现下肢放射痛，所以很多时候腰椎间盘突出症多表现为既有腰痛又有腿痛（图29），只不过当

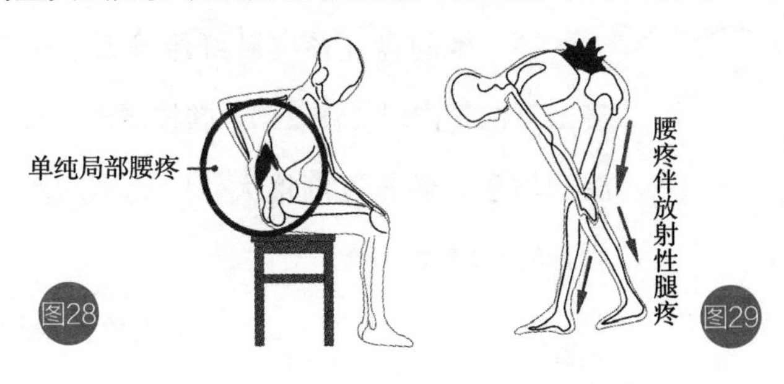

腰痛剧烈时患者往往只主诉腰痛，而腿痛剧烈时患者往往只主诉腿痛。

（康雄、丁力、胡飞）

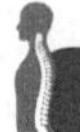

## 23. 为什么椎间盘突出有的能回纳？

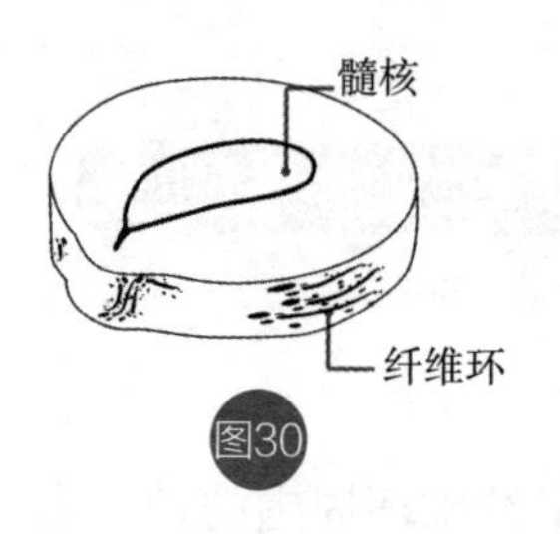


图30

答：当椎间盘突出程度较轻，表现为膨出时（图30），由于此时髓核周围的纤维环尚未破裂，髓核也没有漏出来，这种情况下，通过手法及牵引调曲纠正椎体旋转，减轻椎体压应力后，膨出的髓核可随纤维环的还原而回纳。

（康雄、林廷章、张柳娟）

## 24. 为什么椎间盘突出后会增大？

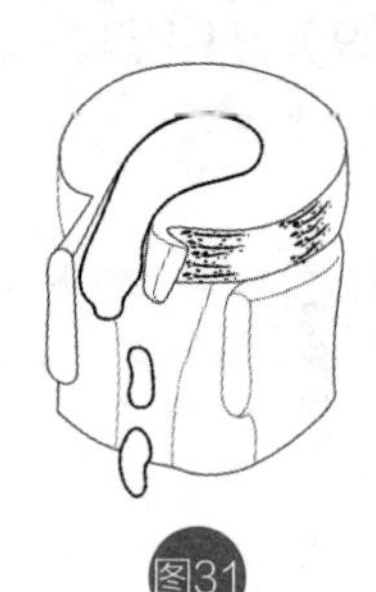

图31

答：椎间盘髓核突破纤维环及后纵韧带突出于椎管内时（图31），髓核周围毛细血管浸润增生，髓核逐渐增大，因此椎间盘突出后有的会增大。

（康雄、张柳娟）

## 25. 为什么一个椎间盘突出容易继发多个突出?

答：椎间盘突出后，椎间隙变窄，椎体下沉、旋转，关节突关节必成角状交锁，并影响到相邻椎体上下关节突的交锁，引起多个椎体旋转，一旦旋转必倾斜，继发上下及同一力线的多个椎体旋转倾斜，出现侧弯，椎曲变直，形同“多米诺骨牌”效应。由于椎曲紊乱，脊柱侧弯、倾斜，脊椎纵轴力线位移，不仅加重椎间盘突出部位的关节应力压迫，也可继发上一个椎间盘由于倾向性压应力作用而突出。所以临床上常见到多个椎间盘突出的情况（图 32）。

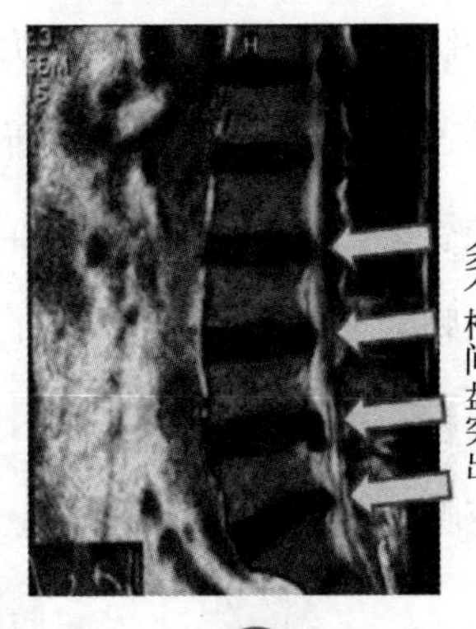


图32

（康雄、丁力、胡飞）

## 26. 为什么腰椎间盘突出多见于腰 4/ 腰 5 或腰 5/ 骶 1 节段?

答：这主要是由腰椎解剖结构和生物力学的特点决定的。在解剖上，腰椎段的后侧韧带由上而下宽度逐渐减小，在腰 4 ~ 腰 5 和腰 5 ~ 骶 1 段的宽度只有上部的一半。而这两节腰椎承受着全身体重的60%，活动度又最大，最容易发生劳损和退变。在力学上，根据韦以宗教授的脊柱圆筒枢纽学说，腰椎力的方向线向前，骶椎力的方向线向后，腰4/腰5和腰5/骶1正好位于两力线的交汇点附近（图33），使腰4/腰5和腰5/骶1椎间盘所承受的压力最大。另外，连接腰椎和骨盆的髂腰韧带附着在腰4、腰5横突，下肢的运动会带动腰4、腰5椎体的运动，相较其他椎体活动频率更高，旋转移位的可能性就大。因此，腰椎间盘突出多见于腰4/腰5或腰5/骶1节段（图34）。

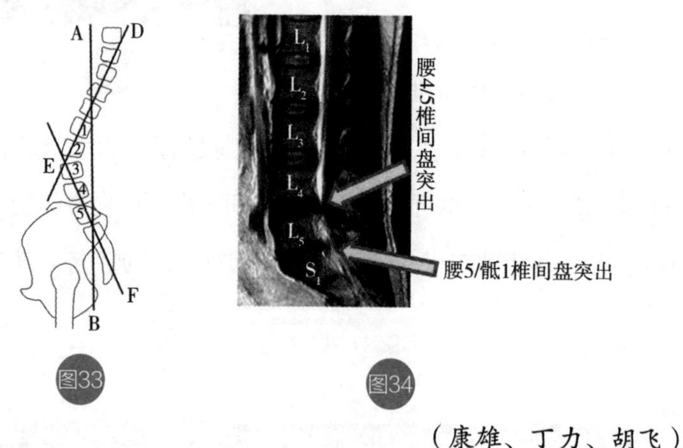


图33　图34

（康雄、丁力、胡飞）

## 27. 为什么颈腰椎间盘突出后常出现颈腰椎变直？

答：人类自出生6个月后因坐位形成向前的腰椎生理弯

曲，椎体向前的压应力将髓核由中间推向前方。1 周岁后因站立行走形成向前的颈椎生理弯曲，椎体向前的压应力也将髓核由中间推向前方，因此说正常颈腰椎间盘的髓核是在椎间隙前方，椎间隙呈前宽后窄。而因久坐等原因造成颈腰椎间盘突出后，髓核已不在椎间隙前方，由于突出多为向后突出而使椎间隙由前宽后窄变为前后等宽甚或是前窄后宽，导致颈腰椎变直甚或反弓（图 35）。

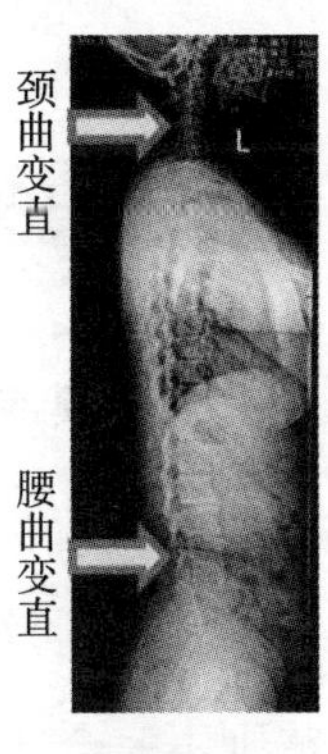

图35

（林远方、王方生、张柳娟）

## 28. 为什么椎间盘突出症常并发脊柱侧弯?

答：椎间盘突出后，椎间隙变窄，椎体下沉、旋转，关节突关节成角状交锁，并影响到相邻椎体上下关节突的交锁，引起多个椎体旋转，一旦旋转必倾斜，继发上下及同一力线的多个椎体旋转倾斜，形同“多米诺骨牌”效应，出现侧弯（图 36）。

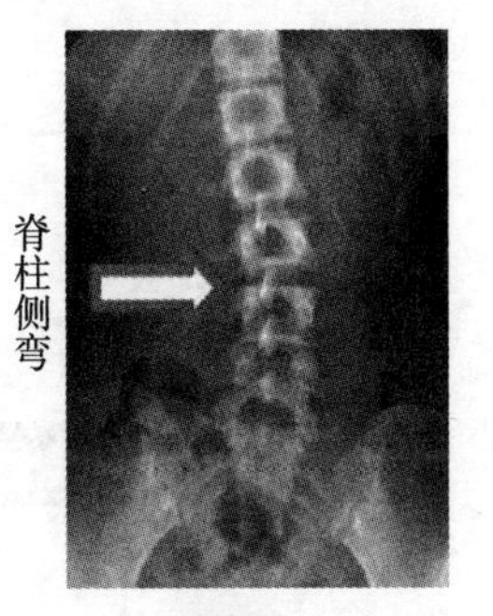

图36

（康雄、丁力、胡飞）

## 29. 为什么椎间盘突出可导致瘫痪和二便异常?

答：颈椎间盘向后突出于椎管，刺激或压迫脊髓后可出现四肢无力，走路踩棉花感，逐渐瘫痪。腰椎间盘向后突出于椎管，刺激、压迫马尾神经严重时也可出现下肢麻木无力，甚则不完全性瘫痪（图37）。马尾神经还发出阴部神经、肛（直肠下）神经的分支，所以腰椎间盘突出压迫马尾神经时可出现二便异常，如便秘、尿频、尿潴留、尿失禁。

图37

（康雄、段磊）

## 30. 为什么颈椎间盘突出可出现胸、腰束带感?

答：颈椎间盘向后突出于椎管直接压迫脊髓，或者突出初期脊髓压迫即使不是很严重，但由于后期颈椎椎体旋转位移、椎曲变直，椎管内组织如黄韧带、后纵韧带充血、水肿、肥厚及关节突关节增生内聚，导致颈椎管狭窄，“前后夹击”，脊髓即受压变性（图 38）。颈丛的分支有颈丛浅降支。锁骨上神经分布于前中线以远，第 2 肋以上的皮肤，胸锁关节、三角肌、胸大肌表面的皮肤，至第 2 肋平面，肩胛上后区的皮肤。肩胛背神经分布于肩胛提肌、菱形肌。胸长神经分布于前锯肌。锁骨下肌神经分布于锁骨下肌。肩胛上神经分布于冈上肌、肩关节和喙锁关节。所以，胸部有束带感。

椎间盘突入椎管压迫脊髓，锥体束受压，传导障碍，所以下肢步行时有轻飘飘、踏棉花的感觉，同时膝腱反射亢进。

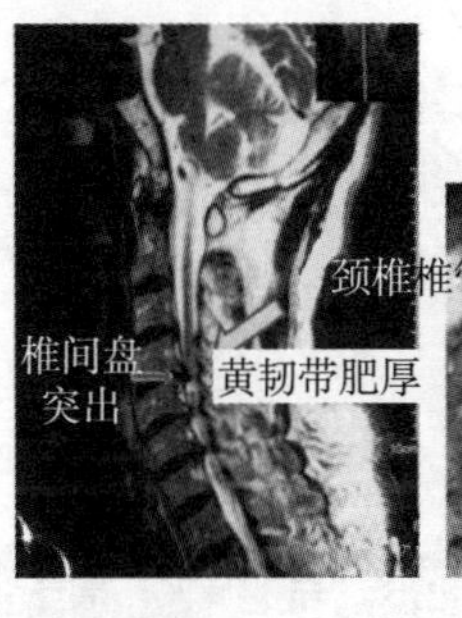


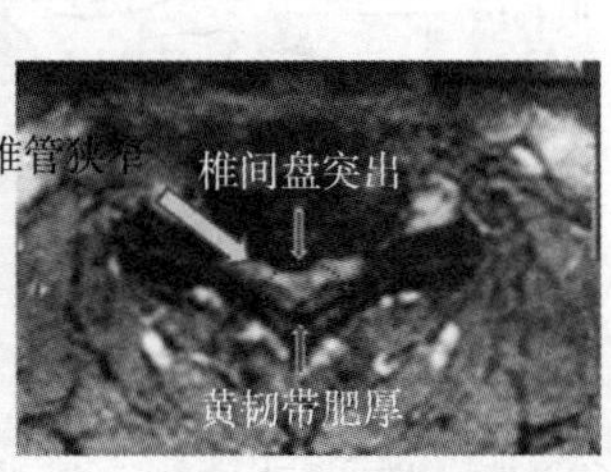


图38

（林远方、康雄、丁力）

## 31. 为什么腰椎间盘突出可导致性功能减退?

答：如前所述，腰椎间盘突出后常并发脊柱侧弯，侧弯一侧的腰大肌长期处于痉挛状态，而生殖股神经自第2腰神经发出后沿腰大肌下行，痉挛腰大肌可压迫生殖股神经；另一方面，马尾神经还发出阴部神经，支配生殖器官（图39），当腰椎间盘向后突出于椎管时可严重压迫马尾神经而导致性功能减退。

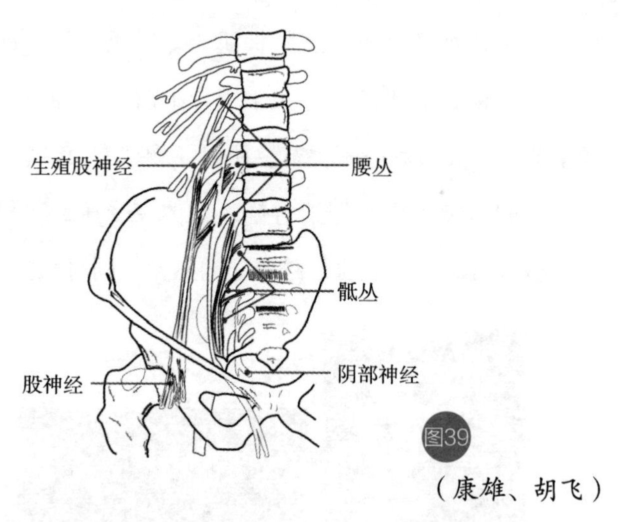


图39

（康雄、胡飞）

## 32. 为什么说腰椎间盘突出是腰腿痛的潜在因素，而不是发病因素？

答：椎管是有一定空间的，椎间盘向后突出于椎管后，如果没有直接压迫神经根，可无任何症状，突出椎间盘与脊神经在椎管内可以“井水不犯河水”，达到“和谐共处”（图

40）。但当脊柱周围肌力失衡，引起椎体旋转倾斜、关节紊乱、椎间孔变形，将神经根向前推移，与原已突出的椎间盘发生触碰挤压后，腰腿痛就会出现，所以说腰椎间盘突出是腰腿痛的潜在因素，而不是发病因素。

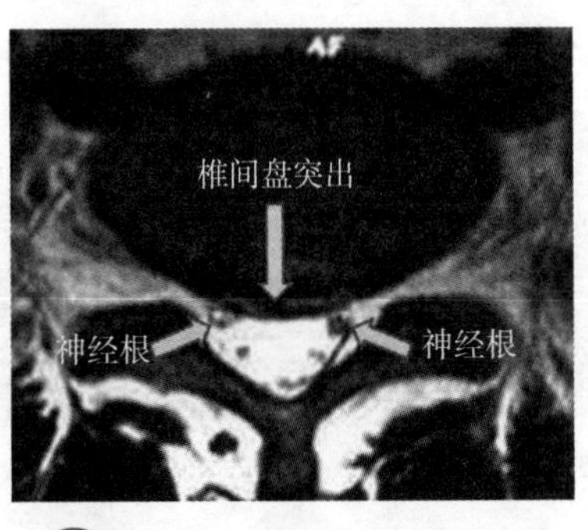


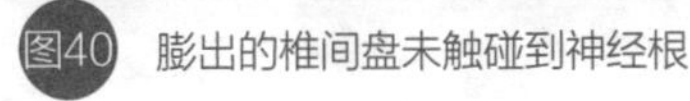
图40 膨出的椎间盘未触碰到神经根

（康雄、胡飞）

## 33. 为什么韦以宗说中老年人的椎间盘突出都是陈旧性的？

答：中老年人某一天腰腿痛发作，做 MRI 发现有椎间盘突出，这并非发病当天突然突出的，而极可能在青壮年时期就已突出。因为中老年人椎间盘已退化，纤维环变性、髓核水分减少乃至纤维软骨化（图 41），整个椎间盘弹性减弱甚或消失，髓核在纤维环内缺乏滚动性，此时即使椎体间的外力也不太可能再将退化的椎间盘突然挤出。但为何又突然发病呢？主要是因为椎体旋转移位，椎间孔狭窄变形，神经根前移与突出的椎间盘发生触碰而出现症状。所以说，中老年人的椎间盘突出都是陈旧性的。韦以宗教授创立的中国整脊学在治疗椎间盘突出症时不治椎间盘，而是矫正椎骨移位，改善椎曲，正是这个道理。

青壮年时期的椎间盘

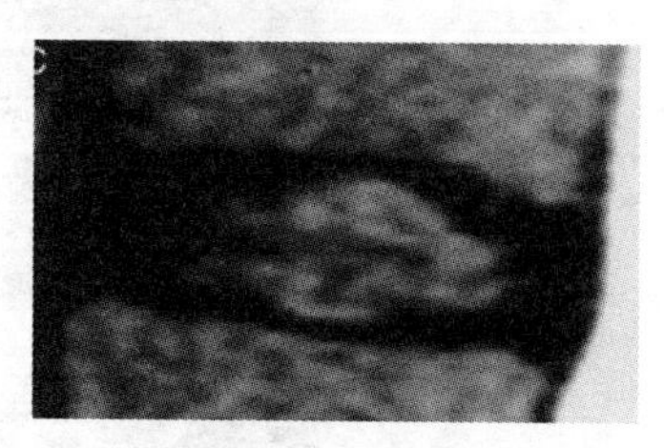

中老年人的椎间盘

图41

（康雄、丁力、胡飞）

## 34. 为什么腰椎间盘突出症会导致骨盆旋转错位?

答：由于脊柱周围肌力失衡，引起椎体旋转倾斜、椎间孔变形，神经根被向前推移，与突出的椎间盘触碰挤压，而产生椎间盘突出症，此时由于神经根刺激，腰大肌痉挛，波及髂腰肌痉挛，腰椎侧弯，股内收肌痉挛，引起下肢内收，骨盆旋转倾斜错位（图 42），正所谓“上梁不正下梁歪”。临床上，通过四维牵引纠正腰大肌等长收缩，纠正腰椎侧弯，骨盆问题可迎刃而解。所以韦以宗教授指出，骨盆移位如果是腰椎引起则必定是旋转位移，如果是下肢长短腿引起则无旋转，前者是运动力学问题，后者是结构力学问题。

（林远方、林峰、王方生）

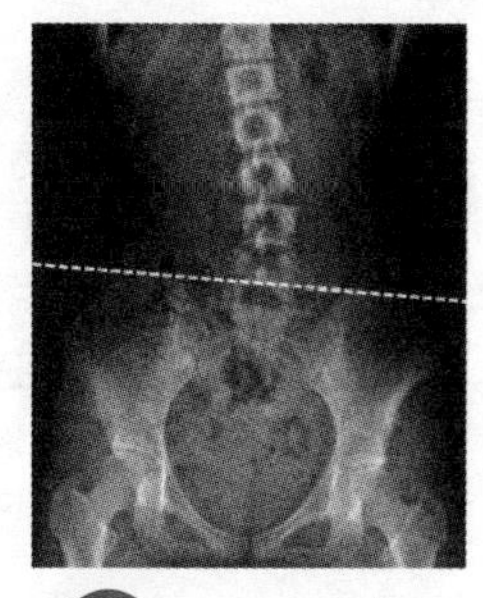

图42 骨盆旋转错位

## 35. 为什么椎间盘突出术后易出现邻近椎间盘突出?

答：椎间盘突出髓核摘除术后可使椎间隙变窄、椎体下沉，即使通过椎间隙植骨融合钉棒内固定防止椎间隙变窄及稳定椎体，但也只是节段局部治疗，并没有整体解决引起椎间盘突出的力学紊乱问题，如侧弯、椎曲异常等，此种情况下的局部坚强固定只会使相邻椎体力学更不平衡，椎体旋转而继发邻近椎间盘突出（图43）。

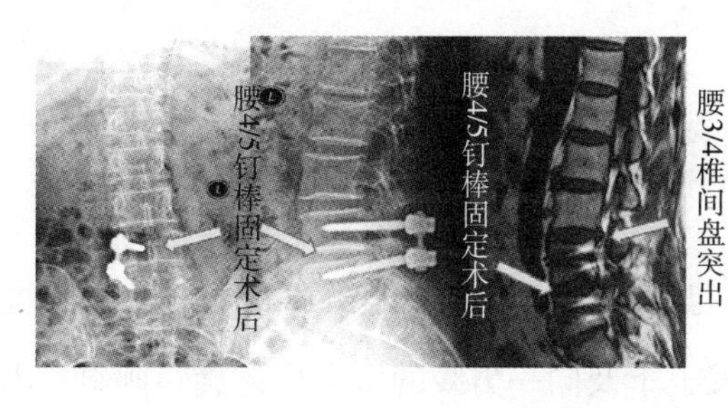

图43

（康雄、胡飞、张柳娟）

## 36. 为什么椎间盘突出术后可以复发和出现并发症?

答：椎间盘突出术后症状一般都可减轻或消失，但这是暂时的，是图“一时之快”，患者日后极可能症状复发并出现并发症。这是因为，一方面手术乃局部疗法，仅仅是摘除椎间盘或扩大椎间孔，而并没有解决力学紊乱问题。若某一天椎体旋转位移，椎间孔变形，又会刺激、压迫神经根而使症状复发。另一方面，椎曲异常没有解决，如仍然变直或反弓，椎管容积变小，椎管内组织也容易出现水肿、肥厚或增生（图 44），而逐渐出现椎管狭窄等并发症。

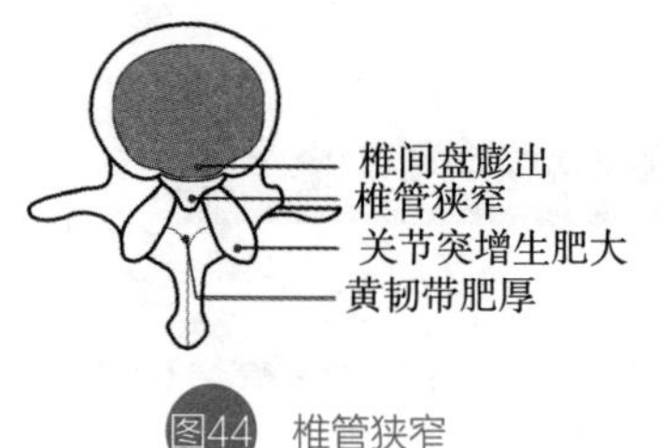


图44 椎管狭窄

（康雄、丁力、胡飞）

## 37. 为什么椎间盘突出后期易并发椎管狭窄?

答：椎间盘突出后期，椎间隙变窄，椎体下沉，椎体旋转倾斜，继发上下及同一力线的多个椎体旋转倾斜，出现侧弯，椎曲变直，椎管容积随之变小，同时椎曲变直使椎管内组织张力增大，容易出现水肿增生，进而逐渐出现椎管狭窄，患者每走几百米甚或只有几十米就得坐下或蹲下休息然后才能行走（即间歇性跛行）（图 45）。所以说，椎间盘突出后期易并发椎管狭窄。

图45 间歇式跛行

（康雄、林廷章、段磊）

三
诊断

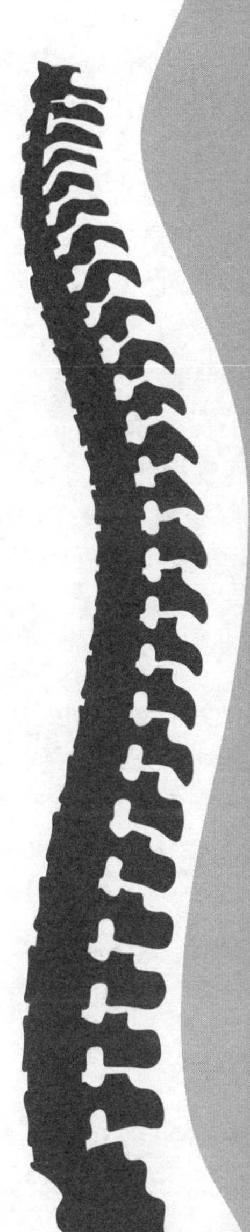

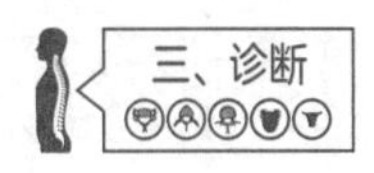


## 38. 为什么说椎间盘突出不是腰腿痛的唯一原因?

答：有些患者腰椎核磁共振或 CT 显示椎间盘突出较大，但却无腰腿痛，说明椎间盘突出不是腰腿痛的唯一原因。这是因为，椎间盘突出后不一定压迫神经根，但因椎间隙变窄，椎体下沉，并且椎体旋转倾斜、关节紊乱，造成椎间孔变形，神经根被推向前方，触碰原已突出的椎间盘则引起腰腿痛。因此可以说，椎间盘突出是腰腿痛的潜在因素而非唯一因素。当然，除椎体错位外，引起腰腿痛的原因还很多，如骨盆错位、强直性脊柱炎、腰椎结核或肿瘤等，大家要注意鉴别，切忌病急乱投医。

（康雄、段磊）

## 39. 为什么腰椎间盘突出症患者有的除了腰痛也有腹痛，除了大腿后侧痛，也有大腿根部痛?

答：突出的腰椎间盘与脊神经后返支（窦椎神经）触碰挤压，患者可表现为腰痛，刺激或压迫神经根，则可出现大腿后侧痛，但椎间盘突出后，腰椎椎曲变直，竖脊肌紧张，根据韦以宗教授的脊柱轮廓平行四维平衡理论（图 46），竖脊

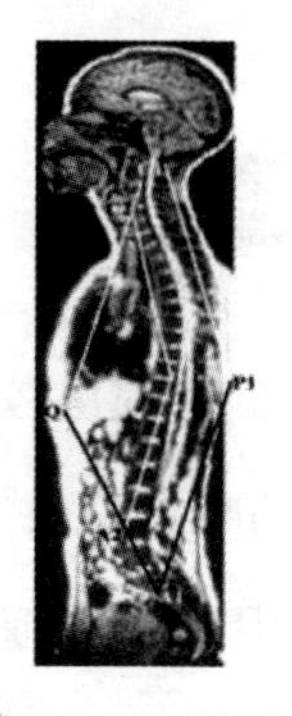

肌紧张，为维持脊柱平衡，将引起腰椎前方的腰大肌及腹肌紧张，出现痉挛疼痛，所以会出现腹痛，腰大肌痉挛刺激髂腰肌痉挛引起疼痛，而髂腰肌附着在股骨小转子（大腿根部），所以椎间盘突出也可引起大腿根部痛。

图46 脊柱轮廓平行四维平衡示意图

（康雄、段磊）

## 40. 为什么腰椎间盘突出症患者不能平躺？

答：由于脊柱周围肌力失衡，引起椎体旋转倾斜、椎间孔变形，神经根被向前推移，与突出的椎间盘触碰挤压，而产生椎间盘突出症，此时由于神经根刺激，腰大肌痉挛，如果平躺腿部伸直，必然会加重腰大肌痉挛，引起疼痛加剧，使患者不敢平卧，即使平卧，也得是屈膝屈髋平卧（图47）。

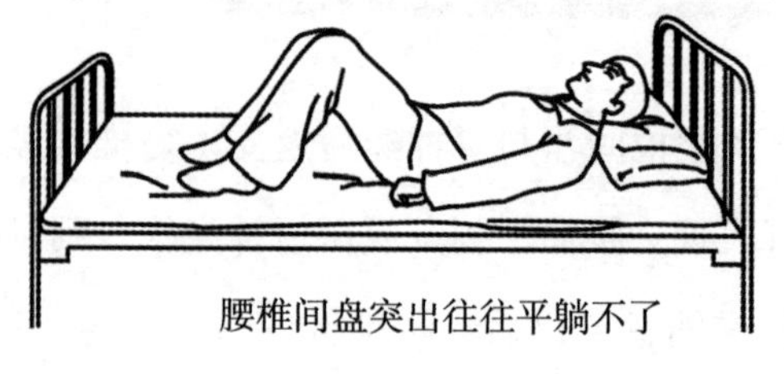

图47 腰椎间盘突出往往平躺不了

（康雄、段磊）

## 41. 为什么腰椎间盘突出症患者会出现身体倾斜、跛行?

答：如前所述，腰椎间盘突出症往往是因腰椎旋转倾斜、关节紊乱、椎间孔变形，神经根被向前推移触碰原已突出的腰椎间盘而发病。一旦一个椎体旋转倾斜，必继发上下及同一力线的多个椎体旋转倾斜导致腰椎侧弯、腰大肌痉挛，而使患者身体倾斜。腰大肌与髂肌一起构成髂腰肌附着在股骨小转子（大腿根部），当腰大肌痉挛时患者伸髋受限、迈步艰难，故出现跛行（图 48）。

腰椎间盘突出症患者身体倾斜、跛行

图48

（林远方、佘瑞涛、张柳娟）

## 42. 为什么腰椎间盘突出症患者会腹胀、便秘?

答：临床上有一部分腰椎间盘突出症患者会出现腹胀、便秘，这一点会让很多患者更加痛苦，也感到难以理解。事实上，当向后突出的腰椎间盘刺激压迫椎管内的马尾神经时（图 49），马尾神经控制大小便的功能就会随之失常，表现为排便、排尿无力而出现便秘、腹胀。

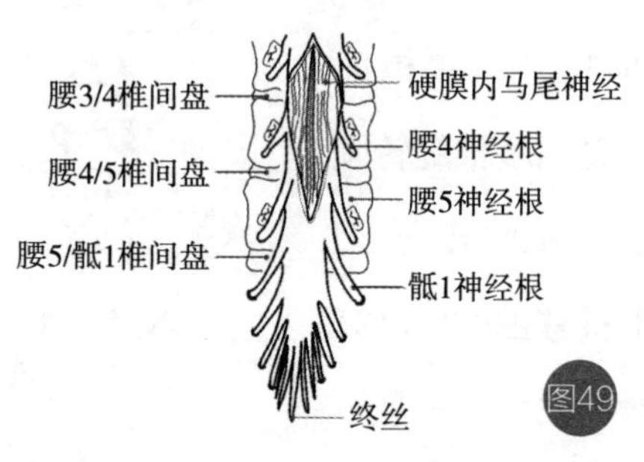

图49

（林峰、佘瑞涛、王方生）

## 43. 为什么腰椎间盘突出症患者腰僵不能转动？

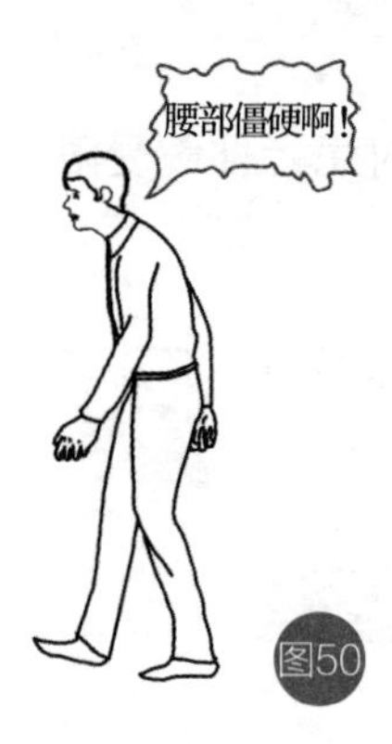

图50

答：长期劳累、久坐伏案或感受风寒等都可引起腰肌痉挛。由于肌力失衡，椎体旋转位移，椎曲变直，椎间孔变形，神经根被推向前方与突出的椎间盘触碰，产生症状。此时，竖脊肌紧张痉挛，不能前屈弯腰，而腰大肌紧张痉挛则又不能后伸，从而导致患者腰部僵硬不能转动（图 50）。故临床治疗时，必须先理筋。

（林峰、佘瑞涛、刘国科）

## 44. 为什么颈椎 3/4 椎间盘突出易诱发心脏病症状?

答：人体心脏的收缩起始于特殊的心肌细胞，受神经系统（主要是交感神经和迷走神经）调节。其中，颈交感神经干位于颈椎横突的前方，分颈上、颈中、颈下交感神经节。颈上神经节最大，呈梭形，位于第 1~3 颈椎横突前方。当颈椎 3/4 椎间盘突出，颈椎椎体旋转、关节紊乱、椎曲异常时，就可刺激颈上交感神经节（图 51），诱发心律失常而出现心脏病症状。

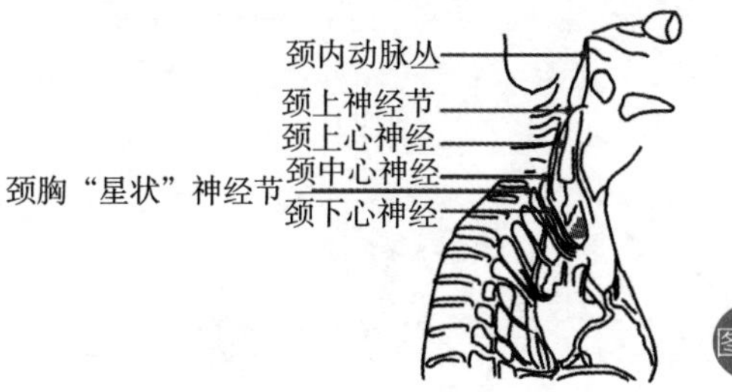

图51

这也就是韦以宗教授常强调的脊源性心悸怔忡症。患者常合并胸闷、心慌等类似冠心病、心绞痛症状，容易被误诊为心血管疾病，但心脏超声、冠脉造影、心电图等检查无特殊表现，与患者劳力负荷变大、情绪激动无关，在安静状态下也会发作，且服用硝酸甘油类药品及钙离子拮抗剂无效。对这类患者可做颈椎检查，确诊后采取整脊治疗往往可取得很好的疗效。

（林远方、佘瑞涛）

## 45. 为什么上段腰椎间盘突出症患者直腿抬高试验呈阴性?

答：从上段腰椎（第 1~3 腰椎）椎间孔分出来的神经丛构成腰丛，其中股神经为腰丛的主要组成（图 52），向下走行于大腿前侧。所以当上段腰椎椎间盘突出时容易压迫股神经引起大腿前侧疼痛，而此时仰卧做直腿抬高试验并不会对股神经造成牵拉刺激诱发疼痛加重（图 53），也就是说，上段腰椎间盘突出症直腿抬高试验呈阴性。

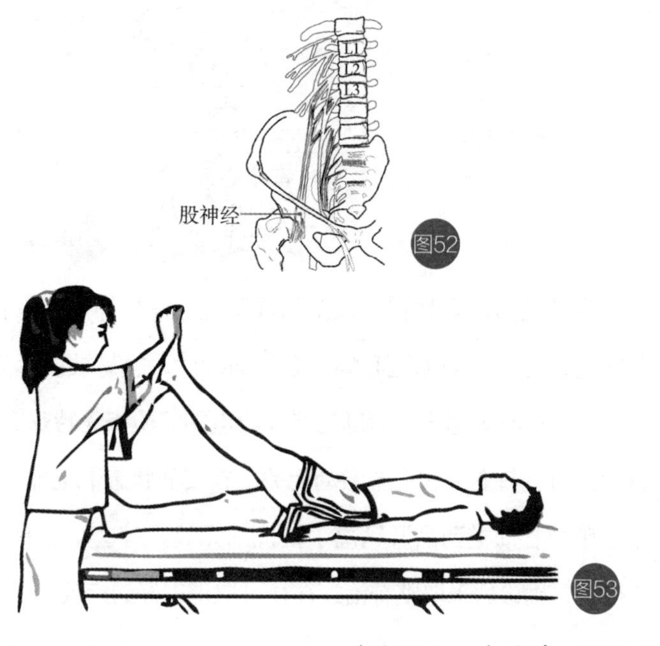


（林远方、佘瑞涛、张柳娟）

## 46. 为什么医生检查腰椎间盘突出症患者既要仰卧做直腿抬高试验，也要俯卧做直腿抬高试验？

答：腰椎有 5 节，当上段腰椎椎间盘（腰 1/ 腰 2、腰 2/ 腰 3、腰 3/ 腰 4）突出时，会压迫股神经，而股神经从腰椎椎间孔出来后向下走行于大腿前侧，此时采取俯卧位做直腿抬高试验即股神经牵拉试验（图 54），会牵拉股神经使其与突出椎间盘之间的刺激加强，表现为大腿前侧疼痛加重，提示股神经牵拉试验阳性。

而下段腰椎椎间盘（腰 4/ 腰 5、腰 5/ 骶 1）突出时，压迫的是坐骨神经而非股神经。坐骨神经来自腰 4 ～腰 5 神经和骶 1 ～骶 3 神经根，向下走行于大腿后方及小腿，此时采取仰卧位做直腿抬高试验（图 55），会牵拉坐骨神经使其与突出椎间盘之间的刺激加重，表现为大腿后方及小腿疼痛加重，下肢抬起高度一般达不到 60°，提示直腿抬高试验阳性。

因此，俯卧做直腿抬高试验有助于判断是否为腰 1/ 腰 2、腰 2/ 腰 3、腰 3/ 腰 4 椎间盘突出，仰卧做直腿抬高试验有助于判断是否为腰 4/ 腰 5、腰 5/ 骶 1 椎间盘突出，医生检查腰椎间盘突出症时既要仰卧做直腿抬高试验，也要俯卧做直腿抬高试验，以免漏诊或误诊，并有助于临床医生的定位诊断。

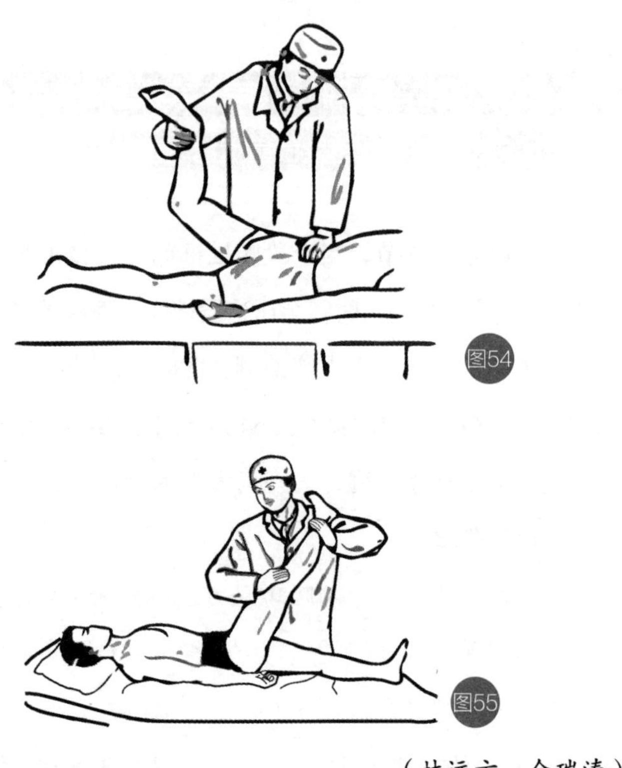


（林远方、佘瑞涛）

## 47. 为什么说直腿抬高加强试验是腰椎间盘突出症诊断的金标准?

答：对患者做检查时，嘱其仰卧，患侧下肢伸直并逐渐抬高，如抬起高度不到60° 即出现臀部及大腿后方至小腿的放射性疼痛，称之为直腿抬高试验阳性。此时将患肢抬起高度稍降低，放射性疼痛可稍减轻，在此体位将患肢踝关节突然背屈，如果患肢臀部及大腿后方到小腿的放射性疼痛又再加重，则称之为直腿抬高加强试验阳性（图 56）。

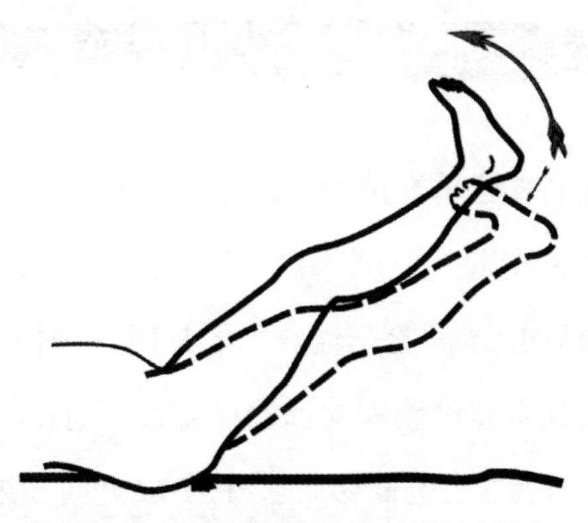

直腿抬高试验（实线）加强试验（虚线）

图56

我们知道，腰椎间盘突出症患者直腿抬高试验可为阳性，下肢抬起高度达不到 60°，但有些肌肉柔韧性差的患者或其他原因引起下肢疼痛的患者做直腿抬高试验时下肢抬起高度也往往达不到 60°，此时就需要加做能引起坐骨神经刺激增强的试验，也就是直腿抬高加强试验来判断疼痛是否与坐骨神经压迫有关，因此直腿抬高加强试验在判断腰椎间盘突出症方面比直腿抬高试验更具有特异性，可谓金标准，为临床诊断腰椎间盘突出症提供了重要依据，在定位诊断、判断病情、判定疗效及推断预后等方面也具有重要意义。

（林峰、佘瑞涛、张柳娟）

## 48. 为什么有的腰椎间盘突出症患者健侧直腿抬高试验也呈阳性?

答：健侧直腿抬高试验是指患者取仰卧位，被动直腿抬高健侧下肢，抬起的健侧不痛，反而患侧下肢出现放射痛，称为健侧直腿抬高试验阳性。主要是因为健侧下肢抬高时，健侧神经根袖牵拉硬膜囊向远端移动，从而相应使患侧的神经根也随之向远端、健侧移动（图 57），此时如果腰椎间盘突出为中央型或巨大型或合并有腰椎管狭窄时，抬健肢就会引起患侧神经根向远端移动受限并与突出椎间盘之间的刺激增强而引起患肢放射痛。所以，健侧直腿抬高试验阳性也有助于腰椎间盘突出症的病情判断。

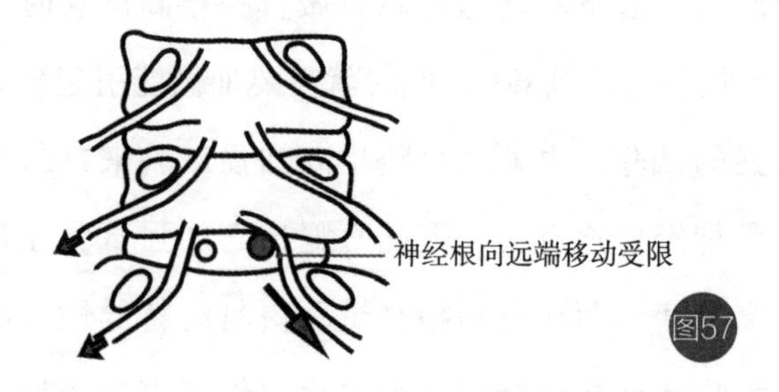


图57

（林峰、佘瑞涛）

## 49 为什么韦以宗说治疗腰椎间盘突出症不恢复椎曲，晚年会继发腰椎管狭窄症？

答：腰椎间盘突出后，椎间隙变窄，椎体下沉，椎体旋转倾斜，继发上下及同一力线的多个椎体旋转倾斜，出现侧弯，并导致椎曲变直。所以治疗上无论是手术还是非手术疗法，如果仅解决局部压迫，而忽视由点到线的调曲治疗，则椎曲持续变直，椎管容积变小，并且椎管内组织张力增大，出现水肿增厚，与突入椎管前方的椎间盘形成“前后夹击”，而最终继发椎管狭窄症（图 58）。

所以韦以宗教授认为，椎曲的力学紊乱是产生椎管狭窄症的主要原因。由椎体位移、椎间盘突出所致的椎管狭窄症，是节段部位——即椎间盘部位段的狭窄，而不是骨性的椎管狭窄症。因此，这种狭窄是“动态的”（椎体关节的活动状态）而不是静态的（骨性的椎管狭窄症）。因此，腰椎间盘突出症的治疗如果不恢复椎曲，晚年将继发椎管狭窄症，出现间歇性跛行，患者行走一段距离后下肢麻痛、无力等症状即加重，蹲下或坐下休息一段时间后症状缓解，又能继续行走（图 59）。

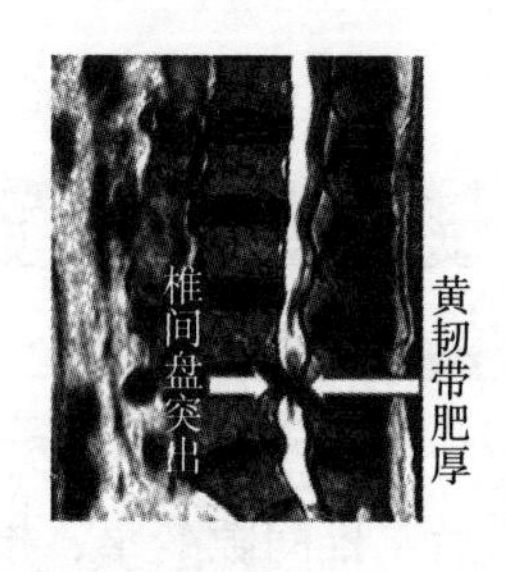

图58

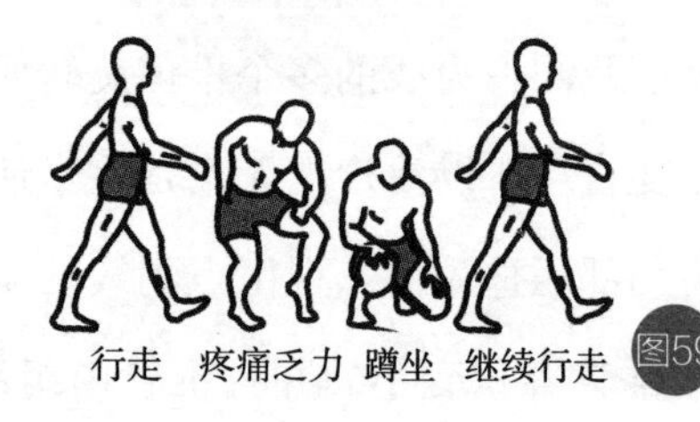


图59

（林远方、李伟森）

## 50. 为什么 CT 或 MRI 检查有椎间盘突出却不能诊断为椎间盘突出症?

答：椎间盘突出与椎间盘突出症是两个概念，CT 或 MRI（核磁共振）检查有椎间盘突出却并不一定有症状。这是因为椎管是有一定空间的，椎间盘虽然向后突出于椎管，但脊神经并未与其触碰卡压，“井水不犯河水”，“和谐共处”，故可无症状。研究表明，40%以上的正常人的 MRI 都显示有椎间盘突出，而中老年的 MRI 显示突出的比例甚至可以达到70%~80%，但并不是所有人都有临床症状。那么椎间盘突出症又为何会出现呢？韦以宗教授认为：中老年人的椎间盘突出是陈旧性突出，出现椎间盘突出症是因脊柱周围肌力失衡，使椎体旋转、位移、椎曲紊乱，椎间孔变形迫使神经根前移，与突出之椎间盘碰触相互卡压而产生症状。因此临床上不能单凭 CT 或 MRI 检查有椎间盘突出就轻易诊断为椎间盘突出症（图 60），而更应重视腰椎站立位 X 光片对腰椎旋转、侧弯及椎曲改变的观察（图 61）。

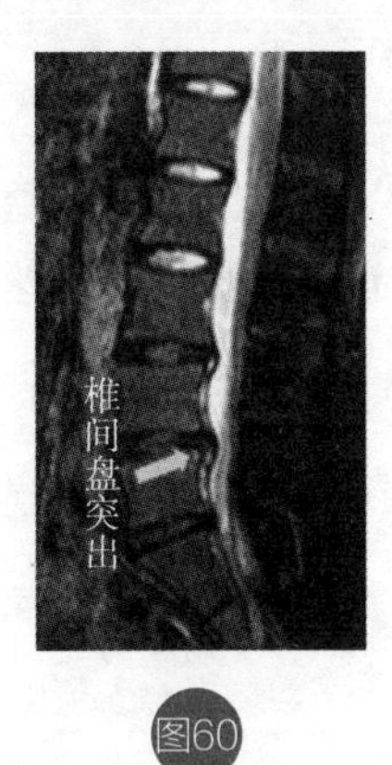


图60

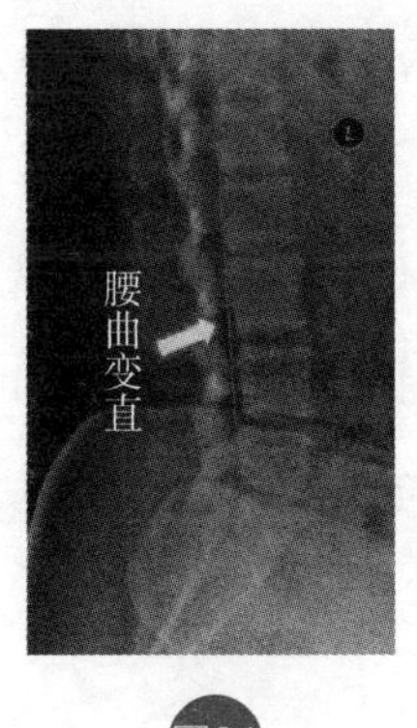

（林远方、李伟森、王方生）

## 51. 为什么 CT 或 MRI 检查无椎间盘突出却有椎间盘突出症类似症状？

答：腰痛伴下肢放射痛是腰椎间盘突出症的典型表现

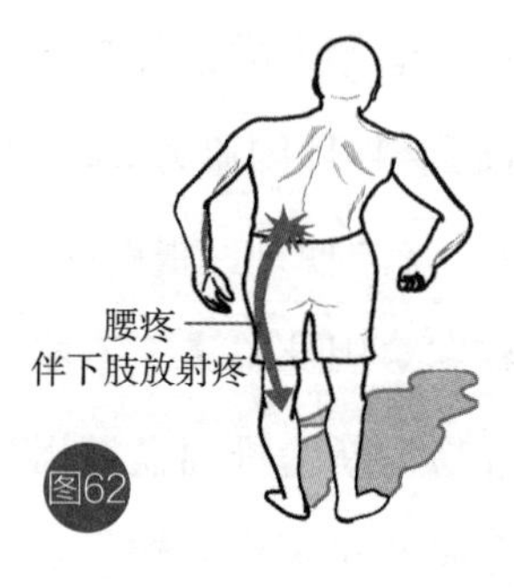

图62

（图62），以至于临床上很多医生一听到患者说“医生我腰腿痛”，第一反应就是腰椎间盘突出症，马上给患者开具腰椎CT或MRI检查，结果却显示没有椎间盘突出。这是为什么呢？

事实上，腰痛伴下肢放射痛是脊神经受压刺激的表现，椎管内脊神经受压除了椎间盘向椎管内突出压迫这一“靶点”外，还有第二个受压“靶点”，那就是因椎体旋转、位移、椎曲紊乱，造成的椎间孔变形狭窄而对脊神经造成压迫，产生椎间盘突出症类似症状。当然，临床上引起腰腿痛这一椎间盘突出症类似症状的原因还有很多，比如骨盆错位、强直性脊柱炎、肿瘤或结核等，要注意鉴别。

（林远方、林峰、李伟森）

## 52. 为什么椎间盘突出症患者有了CT或MRI检查仍然要拍X光片？

答：很多患者因腰腿痛去就诊，一般医生都是大笔一挥，首先让患者拍CT或MRI，而CT或MRI结果也往往显示椎间盘不同程度的突出，于是医生就建议患者进行手术或针灸、推拿等治疗，但患者恐惧手术或保守治疗疗效又不好时，最终辗转找到整脊科医生，此时整脊科医生会让患者加拍 X 光片，为什么呢？

这是因为：中医整脊学认为，椎间盘突出不一定有症状，产生症状是由于椎体旋转、关节紊乱造成椎间孔狭窄变形，神经根被向前推移受压，同时又与突出椎间盘触碰形成双“靶点”卡压所致。也就是说脊柱结构力学的改变是发病核心，而 CT 或 MRI 虽能清楚地显示脊柱内部情况如椎间盘突出的部位、大小，黄韧带是否肥厚等，但不能反映脊柱整体外在结构的变化，如椎体旋转、脊柱侧弯及椎曲改变等，而 X 光片恰恰在这方面更有优势，更能从本质上抓住椎间盘突出症的发病核心。通俗地讲，CT 或 MRI 相当于进入到房间内看清内部结构（图 63），而 X 光片相当于站在房子外面观察房子的外部结构（图 64）。前述椎间盘突出症的发病机理就形同房子外部结构的变形才造成内部结构的变化一样，所以在椎间

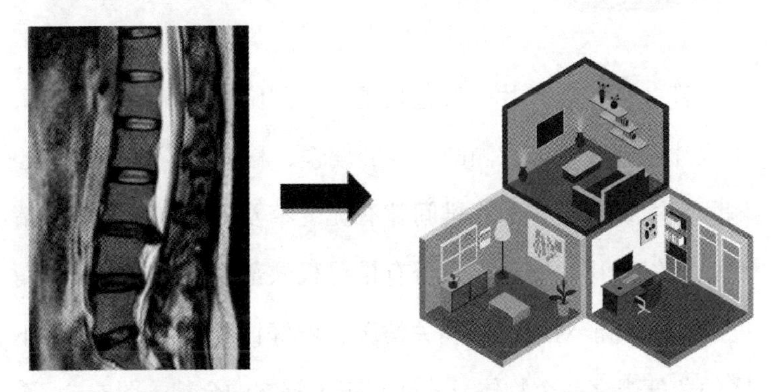

图63 CT或MRI相当于进入到房间内看清内部结构

盘突出症的诊治方面，除了CT或MRI检查外，X光片的检查更是必不可少的。

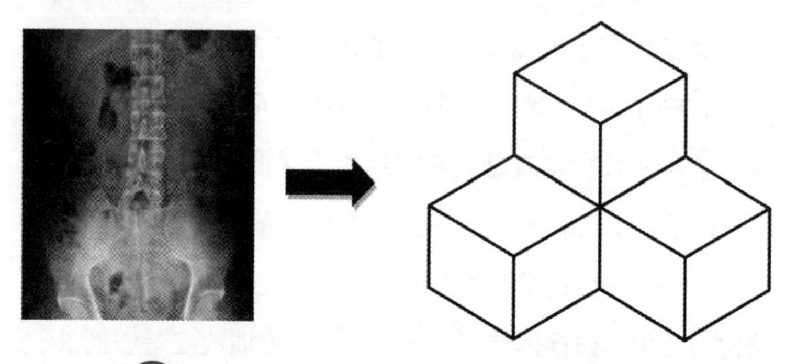

图64 X光片相当于站在房子外面观察房子的外部结构

（林远方、林峰、李伟森）

## 53. 为什么椎间盘突出症患者拍X光片要包括正、侧、双斜位片?

答：脊柱X光片一般包括正位、侧位和双斜位（图65），正位片主要观察有无侧凸、棘突偏歪、移行椎、隐裂等情况；侧位片主要观察椎曲、椎间隙有无变窄及椎体有无滑脱等情况；双斜位片主要观察是否有椎弓根峡部裂等。不同投照角度的X光片能对应反映相关情况，就好比我们生活中要从不同的角度观察一个物体，才能真正了解它的全貌（图66），否则就容易出现盲人摸象的情况。

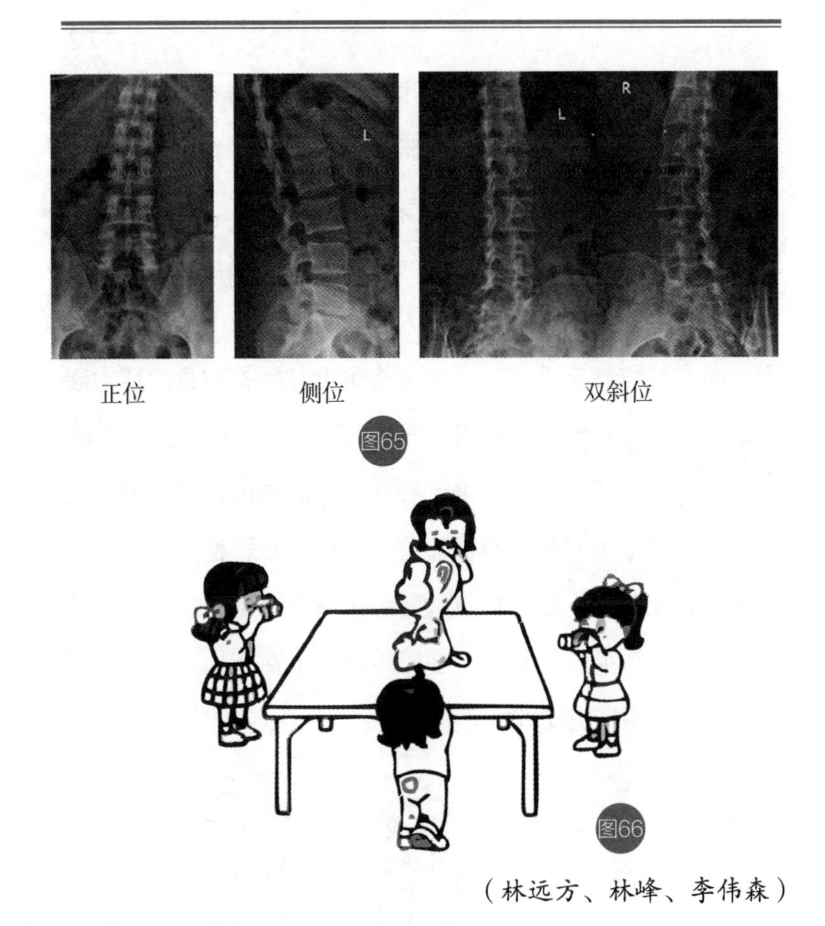

正位　　侧位　　双斜位

图65

图66

（林远方、林峰、李伟森）

## 54. 为什么说腰椎间盘突出症的治疗首先要配合卧床休息?

答：腰椎间盘突出症的发生、发展与体重负重有一定的关系，负重会加重上位椎体对椎间盘的纵向压应力，并且与体位相关联。数据表明：腰椎间盘压力在坐位时最高，站位时居中，平卧位最低（图67）。同时，中医整脊学认为，久坐者，因坐位时髋关节屈曲，髂腰肌松弛，而竖脊肌紧张，腰曲受后侧紧张的竖脊肌牵拉而变直，椎曲变直、椎体形成向后的压应力，则进一步加大椎间盘向后突出的可能，这也是生活中司机等从事久坐职业的人群易出现腰椎间盘突出的原因。而在卧位状态下，一方面可将负重对腰椎间盘的压力降到最低，并有利于椎间盘周围静脉回流以助消除水肿及炎症；另一方面，卧床休息也有助于脊柱周围肌群的协调平衡，减少椎体旋转应力对椎间盘的压迫。所以说，腰椎间盘突出症的治疗首先要配合卧床休息，但卧床休息并不是绝对的躺着不动，在缓解期及恢复期要在医生指导下在床上适当进行功能锻炼，对病情恢复极为有利。

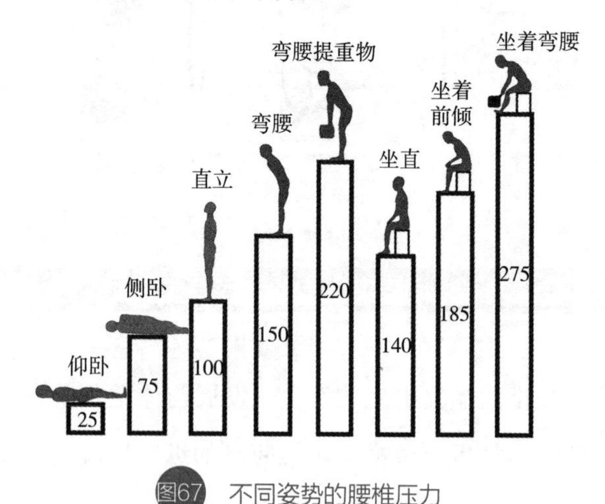


图67 不同姿势的腰椎压力

（林远方、林峰、李伟森）

## 55. 为什么腰椎间盘突出症患者一边工作一边治疗效果不好?

答：腰椎间盘突出症患者在治疗的同时继续工作，则往往导致事倍功半的后果。这是因为，工作离不开久坐或者站立弯腰，这些姿势都容易造成脊柱周围肌力失衡，导致椎体旋转、椎曲变直及椎间孔变形等病理机制不能有效缓解而影响疗效。边治疗边工作，就好比一边医生在搞建设，另一边患者又在搞破坏，而破坏容易建设难，此时再高明的医生也难以取得很好的疗效。因此，腰椎间盘突出症患者应尽量放下手头工作，多卧床休息，不提倡那种轻伤不下火线，带病坚持工作的行为（图 68）。

图68

（林远方、李伟森）

## 56. 为什么腰椎间盘突出症会反复发作?

答：腰椎间盘突出症容易反复发作，究其原因，一是无论手术疗法还是推拿针灸等非手术疗法，都只是局部治疗，而忽视了腰椎椎曲的整体调整，椎曲变直则使椎间盘承受椎体异常的压应力并容易使椎管容积变小。二是椎间盘突出后，椎体下沉，椎间稳定性变差，就好比砌墙时砖与砖之间的水泥浆流出了，砖与砖之间的稳定性就变差一样。西医为解决此问题，术中予行局部加强内固定，但由于未能解决椎曲紊乱而易使邻近椎间盘突出导致症状复发。中医则提出功能锻炼，通过加强脊柱周围肌肉、韧带的力量起到类似肌肉夹板的外固定作用，但问题是很多患者往往好了伤疤忘了痛，不能坚持功能锻炼，肌力失衡，使突出节段本已失稳的椎体又再错位而复发。因此，韦以宗教授说："整脊不练功，疗效会落空。"（图 69）

图69

（林远方、李伟森）

## 57. 为什么有些椎间盘突出症能不治自愈？

答：韦以宗教授认为，椎曲改变是脊柱运动力学及结构力学病理改变的主要体征，椎曲是诊断的依据、治疗的目标和疗效判断的标准。临床上 CT 或 MRI 提示有椎间盘突出，但拍 X 光片显示椎曲仍正常者（图 70），由于这类患者椎管容积仍维持在最宽的状态，所以治疗容易见效，有些甚至没有治疗即能自愈。另外，一部分仅仅是椎间盘膨出的椎间盘突出症患者，由于其椎间盘纤维环并未破裂，髓核也未突破纤维环，通过卧床休息，膨出的髓核可随纤维环张力而回纳，缓解与脊神经之间的压迫刺激，不治自愈。

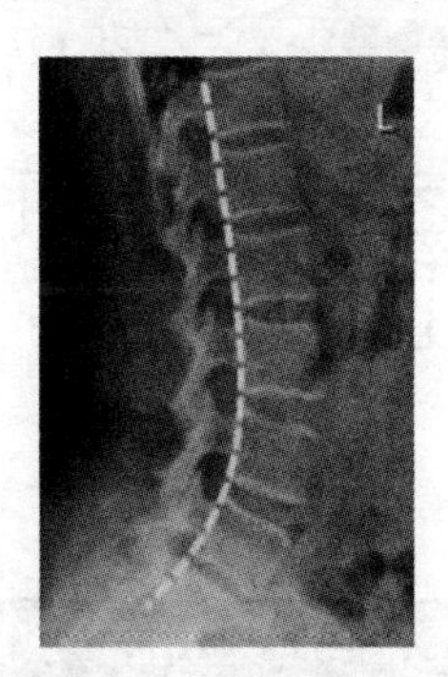


图70 椎间盘突出而椎曲正常

（林远方、刘特熹）

## 58. 为什么椎间盘突出症患者盲目推拿有危险?

答：推拿是中医特色治疗手段之一，能起到舒筋通络止痛之功。但在推拿治疗椎间盘突出症时如果盲目推按，则容易造成椎体旋转错位、关节紊乱、椎间孔变形，使神经根与突出椎间盘之间的触碰刺激持续存在而使症状反而加重。另一方面，在治疗中老年椎间盘突出症患者时，由于中老年人往往还合并骨质疏松等，如果粗暴推拿，很容易造成患者椎体骨折，不但治不好椎间盘突出症，严重的还可能造成瘫痪甚至危及生命（图 71）。

图71

（林远方、刘特熹）

## 59. 为什么针灸治疗椎间盘突出症疗效短?

答：针灸跟推拿一样，都是中医特色治疗方法之一。针灸治疗椎间盘突出症主要是通过刺激患者特定的腧穴、经络

以疏经活络、行气止痛，但医生针灸的针法再好，由于没有力的作用而不能使错位椎体复位，未能解除脊神经与突出椎间盘之间的压迫刺激，这就好比一块石头压住了你的脚，医生在你的脚上扎针，当时可缓解一下疼痛，但不可能做做针灸就能把石头移开，持续的压迫将使你脚上的疼痛持续存在（图 72），所以说针灸治疗椎间盘突出症疗效短。

图72

（林远方、刘特熹）

## 60. 为什么针刀治疗椎间盘突出症是止痛而非治病?

答：针刀在松解肌肉、韧带粘连或条索状硬结等方面具有优势，是一种能快速松解粘连、缓解疼痛的闭合性松解术（图 73）。临床上不少医生用针刀治疗椎间盘突出症，具有快速的止痛效果，但由于针刀

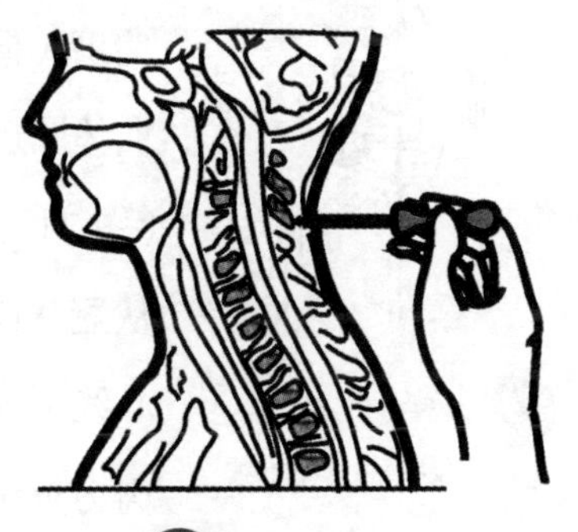
图73 小针刀治疗

松解粘连主要是有助于解决肌肉、韧带这一运动力学紊乱方面的问题，而对椎体错位、椎曲异常等结构力学紊乱方面的问题依然不能解决，未能有效解除脊神经与突出椎间盘之间的压迫刺激而使症状反复出现，是治标不治本的方法，所以说针刀治疗椎间盘突出症是止痛而非治病。

（林远方、刘特熹、康雄）

## 61. 为什么说中医整脊疗法治疗椎间盘突出症远期疗效好?

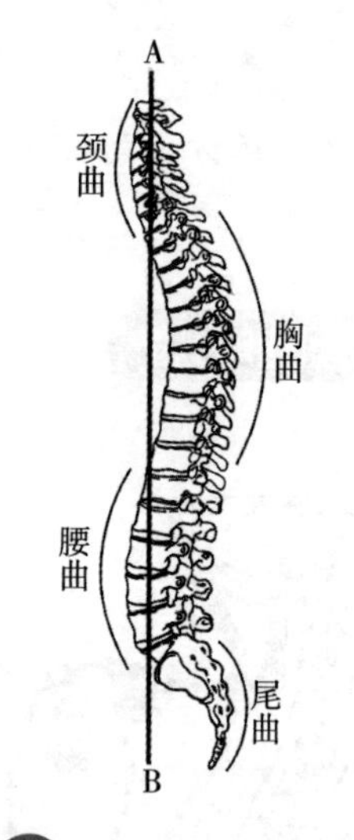


图74 脊柱四个生理弯曲及中轴线（AB线）

答：韦以宗教授认为人体脊柱有两大自然系统：一是从父母禀赋而来的骨关节、脊髓、脊神经肌肉韧带系统（称之为先天自然系统）；二是人类站立行走后，由运动力学形成的颈腰椎的生理曲度（简称颈曲、腰曲）及脊柱四维弯曲体圆运动规律（称之为后天自然系统）（图74）。人类站立在地球上，脊柱无论从冠状面或矢状面都有一中轴线——圆心线（重力线），脊柱前后左右的四维肌肉力量维持脊柱圆运动，维持系统的整体稳态。脊柱病变的发生大多数是因为后天系统的失衡（即椎曲紊乱）导致先天系统的失衡而出现。中医整脊通过调整人体后天系统来改善先天系统的失衡，也就是以调曲复位为主要技术，使脊柱对位、对线、对轴，达到整体、系统的平衡，避免了手术治疗以不惜破坏先天系统为代价的潜在风险。

中医整脊疗法以理筋、调曲、练功为三大治疗原则，其中点线结合、调曲复位是中医整脊区别于中医推拿、中医骨伤的技术特点和优势。强调对椎曲的调整，使颈、腰椎曲这一后天自然系统的平衡得以维持，骨关节、脊髓、脊神经肌肉韧带这一先天系统的失衡就可持续得到控制，进而使疗效持久，如推拿、骨伤包括西医手术疗法，由于都只是针对局部“点”的治疗，忽视对“线”的治疗，也就是说忽视对椎曲的调整，而使椎曲异常持续存在，即使有近期疗效，但容易复发，远期疗效差。

（林远方、刘特熹、康雄）

## 62. 为什么说微创手术治疗椎间盘突出症无法调整患者腰曲?

答：微创手术治疗椎间盘突出症是指通过特殊设计的椎间孔镜或椎间盘镜及相应配套的脊柱微创手术器械，在 C 臂 X 光机引导下，只用一根直径不足 1mm 的穿刺针将胶原酶、臭氧、射频或激光等介入于突出的椎间盘内或盘外突出处，使突出的椎间盘溶解、氧化、消融、气化或分解，从而解除对神经根压迫的一种不开刀手术治疗方法，具有创伤小、止痛快的特点。

但微创手术跟开放手术一样，都只是追求摘除或减小突出的椎间盘及扩宽椎间孔，而无法解决椎体旋转这一引起椎间盘突出症发生的核心问题，椎体旋转的存在必然导致椎曲异常并使症状容易复发。微创手术治疗椎间盘突出症就犹如拿一把电钻将倾斜倒塌的房子窗户扩宽并顺势清除房内瓦砾一样，无论怎么清除干净都不能解决房子的倾斜问题，整栋楼都依然是变形的（图 75），我们这样来理解就明白为什么微创手术治疗椎间盘突出症无法调整患者腰曲了。

电钻扩窗，但房子还是歪的

（林远方、刘特熹、张柳娟）

## 63. 为什么颈椎间盘突出慎用旋扳手法?

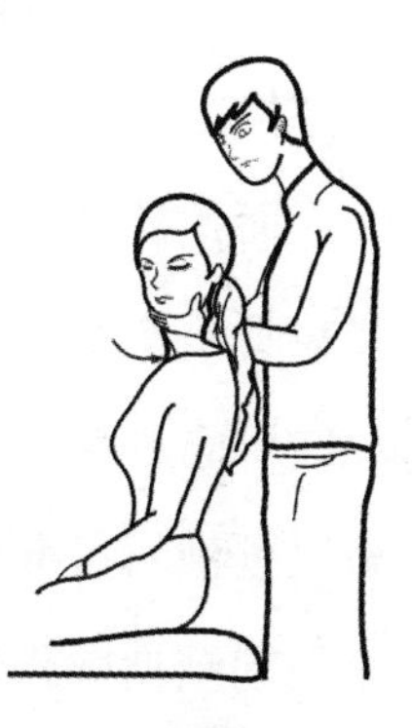

答：颈椎旋扳手法（图 76）是医生将患者颈椎旋转到最大位置时施予瞬间手法力量，借助韧带的紧张性弹力，重新调整关节位置，纠正错位、解除脊髓或脊神经压迫的一种手法，对颈椎间盘突出症、颈椎病有一定疗效，但旋扳手法又犹如双刃剑，对于颈椎间盘突出症伴有颈椎严重退变、较大骨赘形成，或髓核突出较大、颈椎管狭窄者，应用旋扳手法则易造成脊髓损伤或病情加重等医源性损伤，产生严重的不良后果。

因此，颈椎间盘突出应慎用旋扳手法，手法前须详细询问病史，进行全面的体格检查和影像学资料分析，做出正确诊断后再考虑是否行旋扳手法。而患者自身也不要随意接受旋扳手法。

（林远方、林峰、刘特熹）

## 64. 为什么颈椎间盘突出不可用坐位低头牵引?

答：1 周岁后因站立行走形成向前的颈椎生理弯曲，椎体向前的压应力将髓核由中间推向前方，因此正常颈椎间盘的髓核是在椎间隙前方，椎间隙呈前宽后窄。而因椎体旋转错位等原因造成颈椎间盘突出后，髓核已不在椎间隙前方，椎间隙呈前后等宽甚或是前窄后宽，导致颈椎变直甚或反弓。

而颈椎变直或反弓状态下，颈肌本已较紧张，此时再行坐位低头牵引（图 77），则使颈肌紧张更加明显，导致椎体纵向压应力增大，椎间盘的压力随之增大而可能使症状加重。所以颈椎间盘突出不可用坐位牵引，临床一般可采取仰卧位牵引起到增效作用（图 78）。因为人平卧后，头颅枕在床垫上，颈肌处于松弛状态，牵引力可沿椎曲顺势施加，并且没有头颅的负重，牵引力比坐位牵引小就可达到效果，安全性高。当然，在牵引的全过程中，应密切观察病情变化，并随时调整力线和重量等。

图77

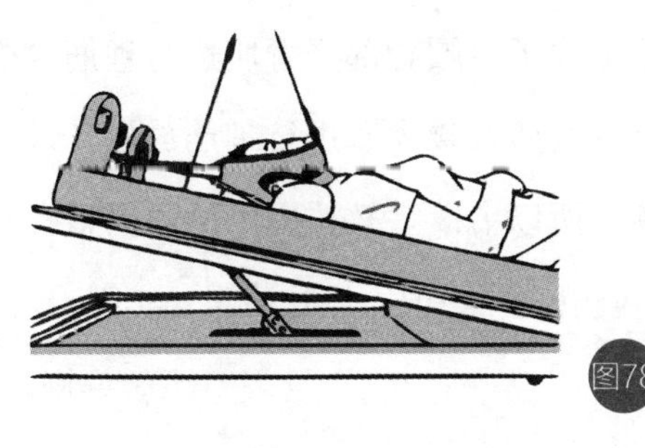

图78

（林远方、刘特熹）

## 65. 为什么中医整脊治疗椎间盘突出症应重视腹部推拿理筋?

答：中医整脊学认为：腹部内环境与腰椎的内环境是相互影响的。腰椎的稳定，后缘靠腰背部的竖脊肌，前缘靠紧贴后腹膜的腰大肌和腹内压（腹内压主要靠腹肌紧张收缩产生）这两股相互拮抗的力量来维持。这两股力量就像前后两组弹力绳维持着腰椎的稳定一样（图79），哪一组弹力绳过紧或过松，都必然导致腰椎不稳，出现椎体旋转错位，诱发椎间盘突出症。

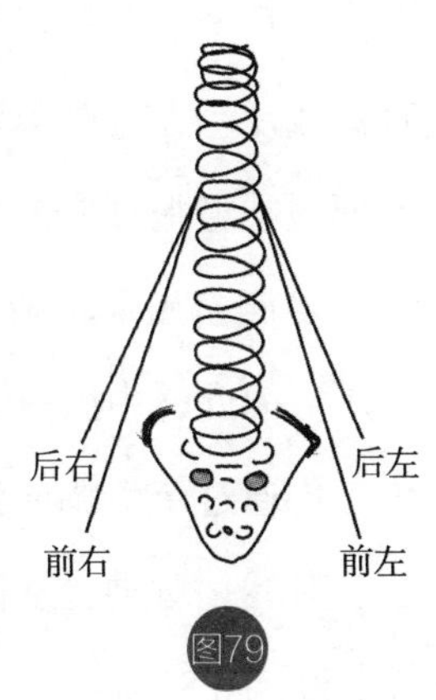


图79

椎间盘突出症患者腰曲大多数变直甚至反弓，腰背部的竖脊肌紧张，为维持中轴平衡，腹部前侧的拮抗肌——腰大肌及腹肌对应紧张，因此椎间盘突出症患者常常出现腹肌疼痛，此时治疗上除了对腰背部竖脊肌进行理筋放松外，还必须对前侧紧张的腹肌及腰大肌进行理筋放松，这样才能维持腰椎力学平衡。所以韦以宗教授提出的中医整脊八大治疗策略中就有“腰病治腹”一说，虽是治腹，实则治腰。

（林远方、郑晓斌、刘国科）

## 66. 为什么正骨调曲并未直接治疗椎间盘突出，却能治愈?

答：中医整脊学认为，脊柱生理弯曲（简称椎曲）决定了椎管容积及椎间孔的大小。颈腰椎间盘突出后，椎间隙常由前宽后窄变为前后等宽甚或是前窄后宽，而导致颈腰椎变直甚或反弓，椎管容积变小，再由于椎体旋转倾斜、椎间孔变形，神经根被向前推移，突出的椎间盘就更容易与神经根发生触碰挤压而造成神经根在椎管及椎间孔处的“双靶点”卡压。因此，中医整脊采用正骨手法局部调整骨关节旋转错位，再通过牵引调曲法整体调整椎曲，点线结合，使脊柱对位、对线、对轴，从而有效解除“双靶点”卡压，消除症状（图80、图81）。

由此可以看出，中医整脊治疗椎间盘突出并不像手术只顾着摘除椎间盘，而是采取“惹不起，躲得起”的策略，抓住椎间盘突出症的发病核心，在不破坏人体先天自然系统的前提下，通过调整后天自然系统的紊乱达到治疗目的，不治椎间盘却实为治本之法。所以说，正骨调曲并没直接治疗椎间盘突出，却能治愈。

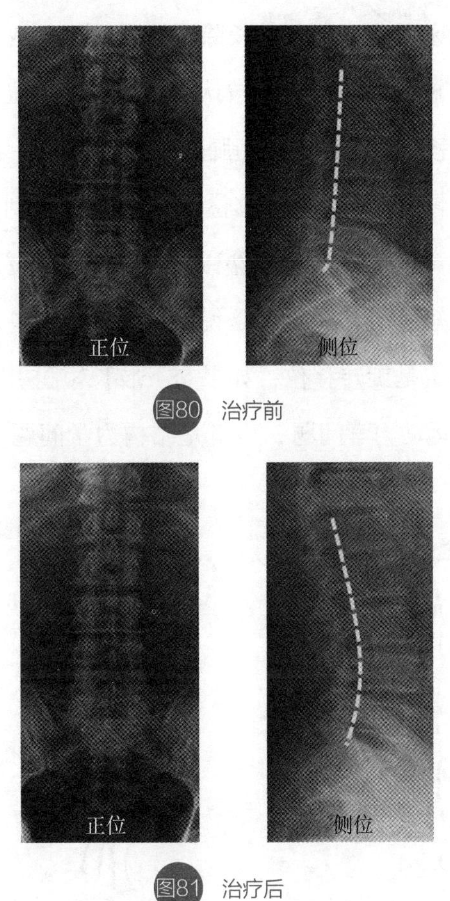


图80 治疗前



图81 治疗后

（郑晓斌、刘国科、张柳娟）

## 67. 为什么点线结合整脊法能纠正双下肢不等长?

答：临床上双下肢不等长除了股骨头坏死或外伤后畸形愈合等导致短缩之外，多数被认为是因骨盆移位而造成。事实上，骨盆移位并非造成长短腿的“罪魁祸首”。中医整脊学认为，如果骨盆移位为旋转移位（占大多数），则该移位是由腰椎旋转侧弯引起；如果骨盆移位为非旋转移位，则该移位是由下肢长短腿引起。也就是说，骨盆移位如果是腰椎旋转引起的则必定是旋转移位，如果是下肢长短腿引起的则无旋转，前者是运动力学问题，后者是结构力学问题。所以韦以

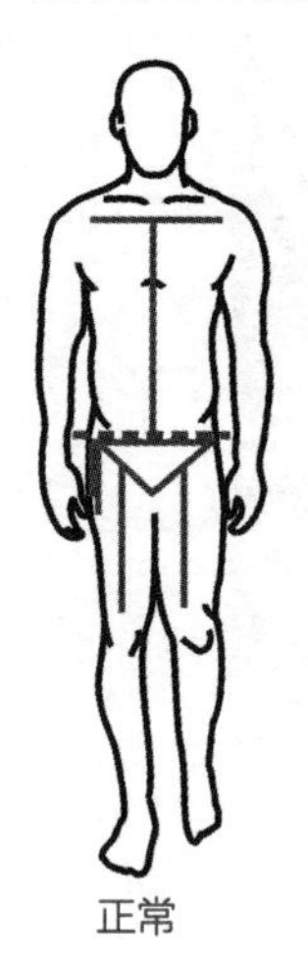

正常

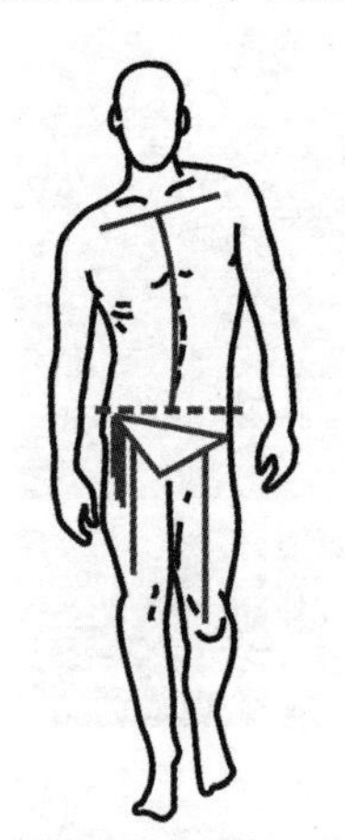

腰椎旋转侧弯引起骨盆移位并发长短腿

图82

宗教授提出，骨盆移位引起的双下肢不等长，主要还是因为腰椎旋转侧弯并发（图 82），因此通过手法正脊、四维牵引调曲（称为点线结合整脊法）纠正腰椎旋转侧弯，可解决因骨盆旋转移位引起的双下肢不等长问题。

（林峰、郑晓斌、刘国科）

## 68. 为什么运用“以宗四维牵引”治疗腰椎间盘突出与普通牵引不同?

答：腰椎间盘突出后易出现椎曲异常如变直或反弓而导致椎管容积变小、椎间孔变窄，故中医整脊对腰椎间盘突出症的治疗强调调整腰曲，由此韦以宗教授发明通过牵引下肢以调动腰大肌对腰曲内在作用力的腰椎四维牵引调曲法。“以宗四维牵引”与传统的普通牵引（骨盆轴线牵引）不同：传统的普通牵引作用力受腰曲的影响，其牵引作用仅达第 3、第 4 腰椎，而一些学者提出的“三维牵引”法，也仅仅是在骨盆牵引下加以扭转而已，其作用力始终是依靠竖脊肌，并未能合理解决椎曲和上段腰椎的侧凸问题。而“以宗四维牵引”是通过四维牵引整脊仪（国家专利号：ZL03261021.1）辨证牵引调曲。腰椎一维牵引（即俯卧纵轴骨盆牵引，图 83）作用同传统普通牵引；腰椎二维牵引（即俯卧骨盆牵引兼患肢外展牵引，图 84）可有效地拉动腰椎后关节，并同时牵引竖脊肌和腰大肌，有效地纠正椎体旋转，从而使嵌插的关节松解；腰椎三维牵引（即仰卧屈曲腰骶枢纽悬吊，图 85），可使腰椎间盘负压值的影响较骨盆牵引明显加强，后纵韧带张力转变为高张力状态，促进突出间盘回纳；腰椎四维牵引（即俯卧过伸胸腰枢纽悬吊，图 86）可纠正腰椎曲度变直、反弓以及侧弯。人类腰曲形成机理中影响腰曲主要运动的力来自腰大肌，所以“以宗四维牵引”与普通牵引的主要区别就在于其牵引了下肢，利用下肢的牵引力调动了腰大肌对腰曲的内在作用力，可最大程度地改善和恢复腰椎生理曲度，使腰

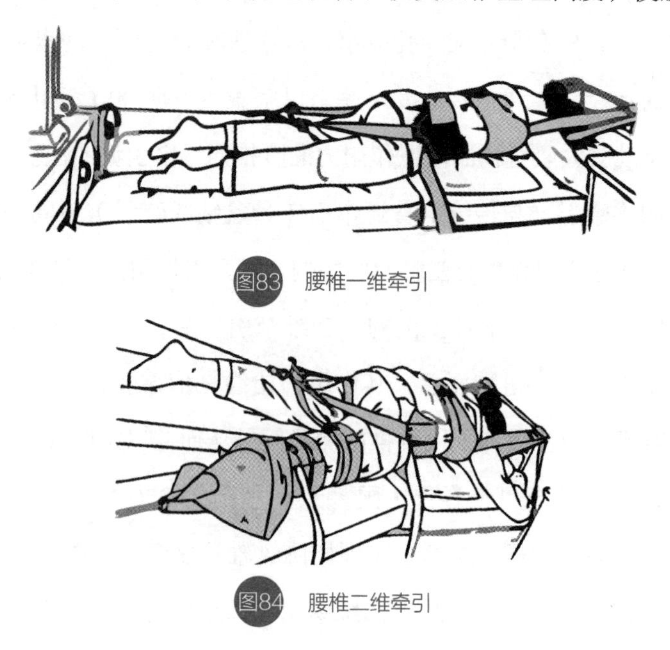

图83　腰椎一维牵引

图84　腰椎二维牵引

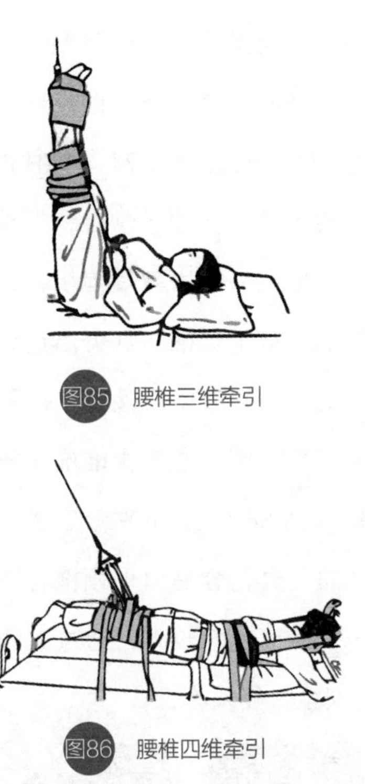

图85 腰椎三维牵引

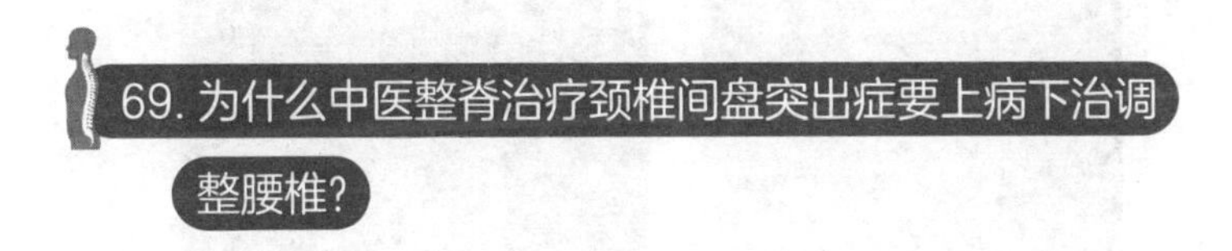

图86 腰椎四维牵引

椎应力达到生理平衡，从根本上解决了椎曲紊乱，疗效好，又不易复发。

（郑晓斌、王方生）

## 69. 为什么中医整脊治疗颈椎间盘突出症要上病下治调整腰椎?

答：中医整脊学研究发现，腰椎结构力学、运动力学的改变会影响到颈椎。当坐位时，由于髋关节屈曲，腰大肌张力减小，腰曲在竖脊肌的作用下，曲度逐渐减小、变直。在这个动态过程中，腰椎通过维系24节椎体的前、后纵韧带和棘间、棘上韧带的传导力作用于颈椎，带动颈曲为维持中轴力线平衡而变化。据此韦以宗教授提出，颈椎病源自久坐导致的腰椎椎曲紊乱。由于颈椎间盘突出症患者的颈椎椎曲改变与腰椎椎曲改变有关，故中医整脊治疗颈椎间盘突出症时采取上病下治法调整腰椎，通过腰椎椎曲的改善带动颈椎椎曲的改善（图87、图88），从而改善症状。由于颈椎间盘突出症患者颈椎椎曲变直，容易出现颈椎管狭窄症，如果在颈椎施以局部手法，往往风险较大，通过上病下治法治疗，则不仅有效，而且安全，复发率低。

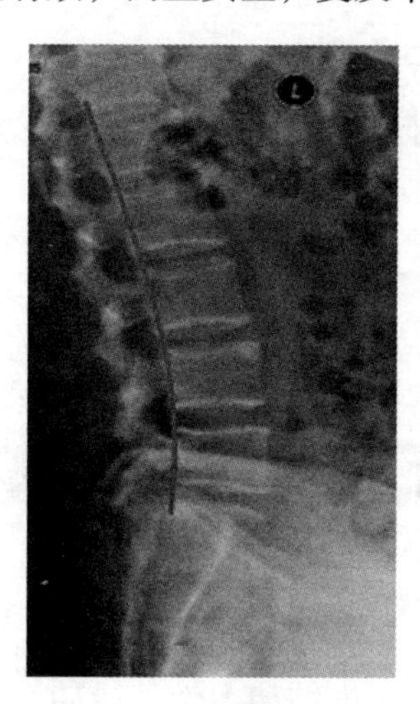
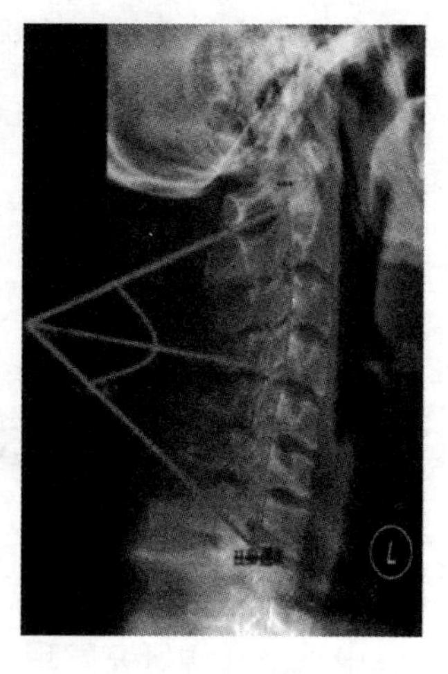

图87 腰曲、颈曲变直（治疗前）

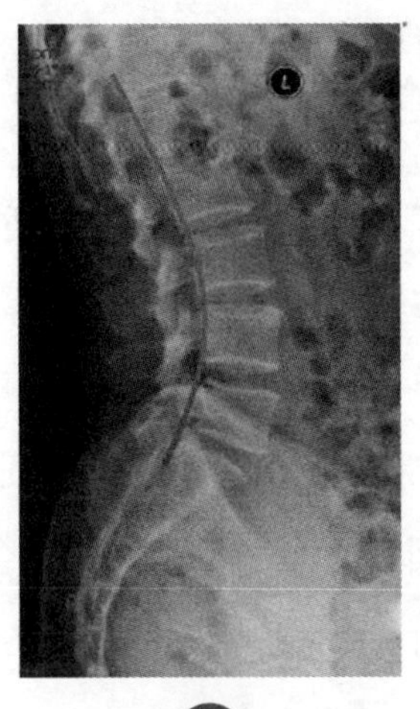
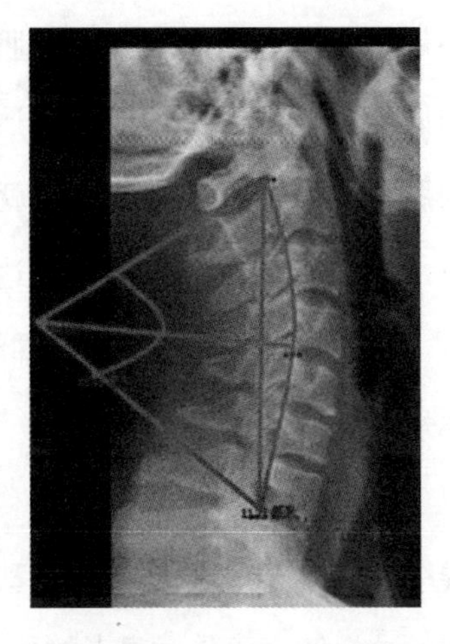

图88 腰曲改善、颈曲也改善（治疗后）

（郑晓斌、张柳娟）

## 70. 为什么椎间盘突出的治疗需医患合作、动静结合?

答：医患合作、动静结合是中医整脊学八大治疗策略之二，由于椎间盘突出症的发生是因脊柱周围肌力失衡，引起椎体旋转错位，椎曲紊乱所致，所以治疗上首先靠医生理筋、正骨调曲，但疗效的提高及巩固离不开患者的密切合作，要做到动静结合。

一方面，椎间盘突出症患者不能过度劳累（如久坐、久站等），在急性期还需尽量卧床休息，此为“静”。另一方面，脊柱周围肌力失衡必然是有些肌群过紧，有些肌群过松。过紧的肌群可通过医生理筋放松达到“松其紧”的目的，而过松的肌群要变得紧张有力医生就无能为力了，必须在医生指导下靠患者主动功能锻炼才能达到“紧其松”的目的，此为“动”。只有通过对脊柱周围肌群“松其紧”“紧其松”，方能使运动力学重归平衡，进而使结构力学不再紊乱，保证患者不复发或少复发。所以说，椎间盘突出的治疗需医患合作、动静结合（图 89），“整脊不练功、疗效会落空”这句韦以宗教授的整脊箴言正是对患者的最好劝告。

图89

（郑晓斌、张柳娟）

# 四 预防

## 71. 为什么椎间盘突出症患者也要注意防寒保暖、预防感冒？

答：冬季天气寒冷或夏季空调直吹，都容易造成脊柱肌肉不同程度的紧张甚或痉挛，使椎体对椎间盘的压应力增大，椎间盘内的压力增高，而不利于椎间盘突出症的恢复；感冒会出现咳嗽、打喷嚏等症状，而咳嗽、打喷嚏一方面可导致腹压增加、腰椎间盘内的压力增大，另一方面也容易出现脊柱周围的肌力不协调，而造成椎体旋转，加大神经根与突出椎间盘相互刺激的可能，使病情复发或加重。所以椎间盘突出患者也要注意防寒保暖、预防感冒。

如果真的不小心受寒感冒，在打喷嚏或咳嗽时，要提前做好准备，赶紧双膝、双髋微屈，并用双手扶托住腰部，这样可大大减少打喷嚏或咳嗽对腰部带来的伤害（图 90）。

图90

（林峰、郑晓斌）

## 72. 为什么椎间盘突出症患者不宜久坐？

答：中医整脊学在研究人类腰曲形成机理时，发现腰大肌对腰曲的形成和稳定起主要作用（图 91）。而长期久坐时，由于髋关节屈曲，腰大肌张力减小（图 92），正常向前的腰曲在竖脊肌的作用下，曲度逐渐减小，甚至变直或反弓，使椎体对椎间盘的压应力由向前变成向后，进而使椎间盘内的髓核向后突出压力持续存在。此外，椎曲变直，椎管容积变小，神经根与突出椎间盘间刺激压迫的可能性也将增加，所以久坐不利于椎间盘突出患者的康复。

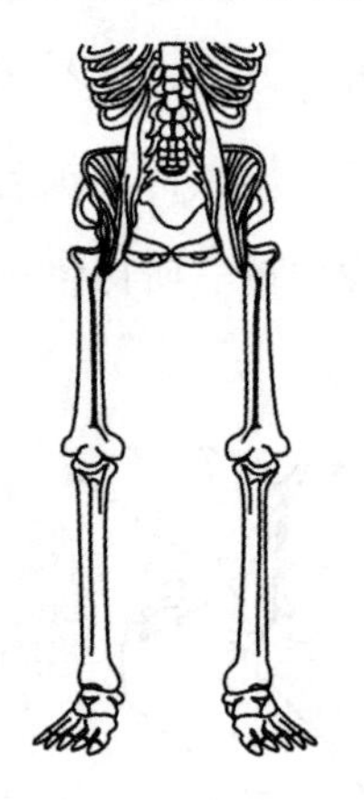

图91 站立位时腰大肌紧张，维持向前的腰椎生理弯曲

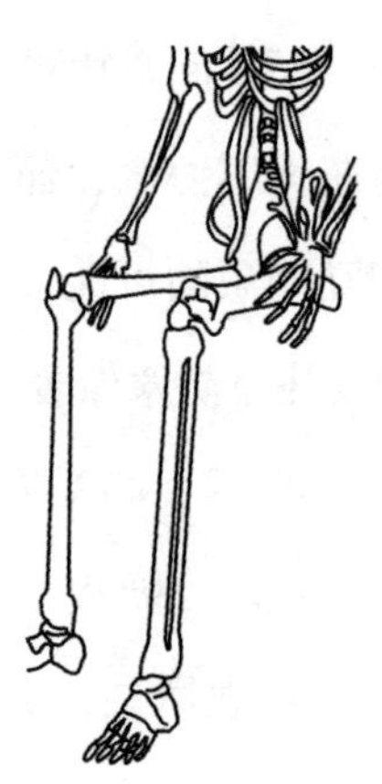

图92 坐位时腰大肌松弛，向前的腰椎生理弯曲将变直

（郑晓斌、刘国科、张柳娟）

## 73. 为什么颈椎间盘突出症患者尽量避免坐车打瞌睡？

答：椎间盘突出后，椎体间的稳定性变差，形同两层楼之间的承重墙破坏后楼层稳定性就变差一样，再加上瞌睡状态下颈部周围肌肉、韧带本就处于松弛状态，所以颈椎间盘突出症患者如果坐车打瞌睡，由于此时其脊柱内外源性稳定均差，如遇急刹车，受伤风险将骤然增加。急刹车时，头颈部惯性向前冲，由于身体系着安全带，头颈部随即又向后回位，如此外力将使稳定性差的椎体很容易发生移位而造成脊髓损伤，发生严重后果，这就是医学上常称的“挥鞭式损伤”（图 93）。所以，颈椎间盘突出症患者应尽量避免坐车打瞌睡。

图93 挥鞭式损伤示意图

（林远方、王书勤）

## 74. 为什么腰椎间盘突出症患者要避免睡软床?

答：腰椎间盘突出后，椎间隙由正常的前宽后窄往往变成前后等宽甚或前窄后宽，而使正常向前的腰椎生理弯曲变直或反弓。另一方面，由于软床不能对脊柱有效承托，并且睡眠时脊柱周围肌肉、韧带都完全处于放松状态，所以腰椎间盘突出症患者睡软床的话，容易在重力作用下造成脊柱进一步变形，平躺时腰曲进一步变直（图 94），侧躺时腰椎侧弯（图 95）。而腰曲变直及腰椎侧弯，必然导致症状持续存在、缠绵难愈。因此腰椎间盘突出症患者要避免睡软床，但也不能走向另一个极端，因为睡太硬的床一样不能顺应脊柱正常生理弯曲而不利于康复。

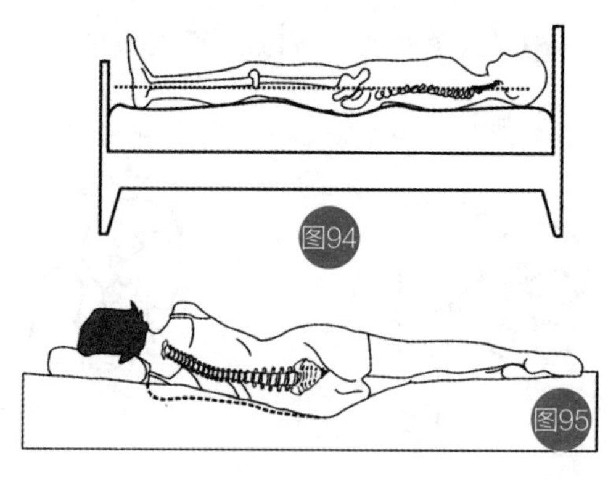

图94

图95

（林远方、王书勤）

## 75. 为什么椎间盘突出症患者适合游泳、吊单杠等运动?

答：通常情况下，人们参与的大多是负重运动，如跑步、打球等，而椎间盘突出患者由于其椎间隙变窄，椎体下沉，椎体间稳定性变差，负重运动则容易加重椎体对椎间盘的压应力，并且容易造成椎体旋转错位而使病情加重或复发。所以一般建议椎间盘突出患者参加一些非负重运动如游泳、吊单杠等。

游泳时，人体的脊柱由直立改为水平，在水的浮力作用下，脊柱关节几乎处于不负重状态而使椎体对椎间盘的压应力大大减小（图 96）；吊单杠则属于自体纵向牵引，在重力作用及拉单杠双手的反作用力下可起到扩宽椎间隙、椎间孔，进而减小椎间盘压力及减轻脊神经压迫的目的（图 97）。

图96

图97

（林远方、王书勤、刘国科）

## 76. 为什么腰椎间盘突出症患者不建议盘腿打坐和过度弯腰?

答：生活中很多人为了静心而喜欢盘腿打坐（图98）或为了柔韧性而喜欢过度弯腰，但这两个动作对腰椎间盘突出症患者来说是不合适的。因为腰椎间盘突出症患者的腰椎生理弯曲（简称椎曲）多数已变直甚或反弓，盘腿打坐时骨盆后倾，加重椎曲变直程度；过度弯腰则不但不能改善椎曲变直程度，还可造成椎体对椎间盘向后的压应力骤然增大，所以腰椎间盘突出症患者如果经常盘腿打坐和过度弯腰，极可能造成病情复发或加重。

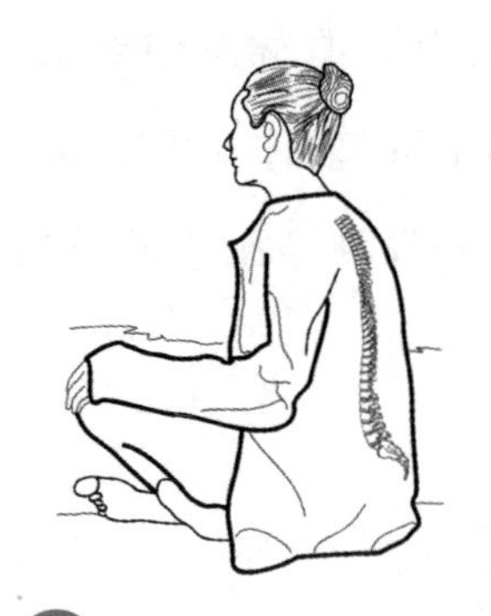

图98 盘腿打坐造成腰曲变直

（林远方、王书勤）

## 77. 为什么倒走对腰椎间盘突出的患者有益?

答：倒走是一种与正常向前行走反向的运动（图99)。倒走时需腰身挺直或略后仰，为维持平衡，骨盆前倾，使腰曲有增大趋势。另一方面，倒走时腿先要向后迈开，可以有效带动腰大肌对腰曲形成的作用力，促进腰曲改善。而腰椎间盘突出症患者的腰曲大都变直或反弓，这类患者通过经常练倒走无疑有助于腰曲的改善或恢复，进而达到巩固疗效或预防复发的效果。

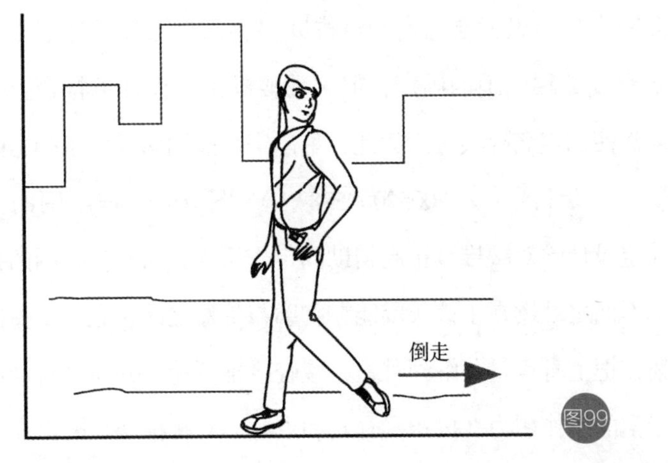

图99

（林远方、王书勤）

## 78. 为什么腰椎间盘突出症患者要佩戴弹力强筋腰围?

答：椎间盘突出后，椎体间的稳定性变差，就形同两层楼之间的承重墙破坏后楼层稳定性就变差一样。事实上，临床很多椎间盘突出症患者症状复发都是因为椎体旋转倾斜，关节紊乱，椎间孔变形，将神经根推向前方，与原已突出的椎间盘发生触碰卡压而产生症状。因此韦以宗教授强调椎间盘突出症经理筋、正骨调曲治疗后还必须配合练功以巩固疗效，但功能锻炼非一朝一夕就能把脊柱周围肌肉、韧带锻炼得坚强有力，此时仍需外力辅助稳定，就好比绿化工人把刚种好的树加用竹竿撑起来以防再倒一样（图 100）。目前，很多医生包括患者自己也知道椎间盘突出症治疗后特别是急性期要佩戴腰围辅助固定，但多数腰围由于设计不符合力学原理而使固定名存实亡。为此，韦以宗教授团队发明了弹力强筋腰围（专利号：ZL200520005883.1）（图 101），该腰围的弹性固定设计除对腰椎真正起辅助固定作用外，与其他腰围的另一个不同之处还在于该腰围能在胸廓与骨盆之间建立一个弹性框架，把上身重量分解到骨盆，减轻腰椎负荷，并通过自身运动产生的反作用力，按压夹脊穴和带脉，对腰椎间盘突出症患者的康复起到较好辅助作用。所以腰椎间盘突出症患者要佩戴弹力强筋腰围。

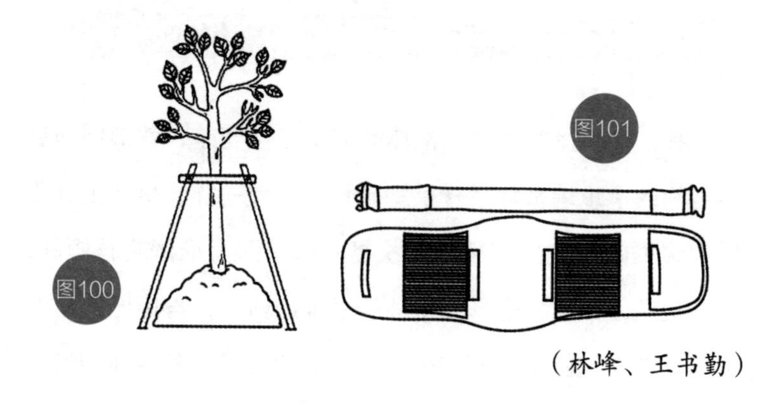
图100

图101

（林峰、王书勤）

## 79. 为什么说椎间盘突出的治疗是核心，功能锻炼是关键?

答：椎间盘突出后，一部分症状较轻者可通过卧床休息自愈，但由于大多数椎间盘突出症的发生是因脊柱周围肌力失衡，椎体旋转位移、关节紊乱、椎间孔变形，将神经根向前推移，与突出的椎间盘触碰形成双“靶点”卡压而产生症状，所以必须经过理筋、正骨调曲系统治疗才能缓解或治愈，不可能通过休息就能解决腰椎运动力学特别是结构力学紊乱的问题，所以说椎间盘突出的治疗是核心。但由于每个人都离不开生活、工作或学习，脊柱周围肌群的劳损在所难免，这就意味着运动力学的紊乱也许将重新出现，进而造成结构力学的紊乱，使症状加重或复发。所以很多人因此以为椎间盘突出复发是正常的，是不可避免的，其实非也！大家只要在医生指导下，循序渐进、持之以恒地进行功能锻炼，如韦以宗教授创立的以宗健脊强身十八式，就能使脊柱周围肌群力量维持平衡，预防复发。这就形同一棵扶正了的大树，为避免再被风雨吹倒，必须用绳子或竹竿在周围夯实一样（图 102）。所以说椎间盘突出治疗后，功能锻炼又是维持疗效的关键。

图102

（林远方、王书勤）

## 80. 顶天立地式、过伸腰肢式能防治腰椎间盘突出症?

答：腰椎间盘突出症经治疗后即使症状已减轻或消除，但腰椎生理弯曲的改善并非一蹴而就，腰曲在治疗后一段时间内往往仍变直或反弓，竖脊肌也维持紧张状态，除了必须坚持四维调曲外，还必须配合以宗健脊强身十八式功能锻炼，如顶天立地式、过伸腰肢式。顶天立地式可提升胸廓及腰椎，使脊柱形成向上的拉伸力，对抗地心引力而对脊柱形成牵引效应，减轻椎体对椎间盘的纵向压应力，并可拉伸竖脊肌，缓解竖脊肌的紧张状态，进而有利于腰曲的改善（图 103）；过伸腰肢式则可通过腰椎过伸动作，形成向前的椎体压应力，带动变直腰曲向前恢复（图 104）。而椎曲的改善是椎间盘突出症的治疗目标，所以说顶天立地式、过伸腰肢式能防治腰椎间盘突出症。

图103 顶天立地式

图104 过伸腰肢式

（林远方、王书勤）

## 81. 为什么手术摘除椎间盘后的男性青壮年仍然可能发生阳痿？

答：手术摘除椎间盘，即使摘得再干净，也改变不了只是

图105

节段局部治疗的事实（图 105），手术并没能从整体上解决引起椎间盘突出的力学紊乱问题，如腰椎侧弯、腰曲变直或反弓等。因此手术摘除椎间盘后症状可能复发。对男性青壮年而言，术后脊柱侧弯如果没有改善，则侧弯一侧的腰大肌长期处于痉挛状态，可压迫自第 2 腰神经发出后沿腰大肌下行的生殖股神经。另一方面，腰曲变直或反弓没有改善，日久可并发腰椎管狭窄而可能压迫马尾神经发出的阴部神经，进而导致阳痿。

（康雄、林峰、张柳娟）

## 82. 为什么手术摘除椎间盘后的脊椎节段不可以施行按脊松枢法？出现相关症状怎么办？

答：传统椎间盘髓核摘除术，会因术野暴露扩大椎弓板间隙、扩大神经根管，造成骨性缺损，脊柱稳定性下降。术后，医生如果不了解临床特点，按常规施行按脊松枢法（躯体后正中线旁开 1.5 寸点按）（图 106），则可能导致脊柱失稳，甚或出现脊柱滑脱、脊髓神经损伤等严重后果。如果考虑不周施行了按脊松枢法，患者出现疼痛加重、肢体麻木无力，则应立即停止手法，请相关专科会诊，做好对症处理。

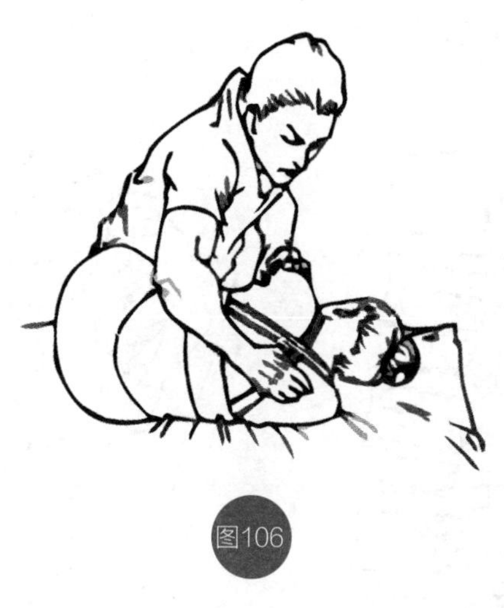

图106

（林远方、郑晓斌、王书勤）

## 83. 为什么任意腰椎植入人工椎间盘后慎用腰椎旋转法？出现相关症状怎么办？

答：腰椎间盘突出术中植入人工椎间盘主要是为了维持椎体间距及椎间孔矢状径的高度（图 107），少数具备纵向的弹性，但没法像腰椎自身椎间盘那样具有液态静力而使所在节段椎体具备正常的伸缩、前屈后仰、左右侧屈、左右旋转的功能，所以对腰椎植入人工椎间盘者，不宜采用腰椎斜扳法（图108），不但可能没效，更可能造成植入物脱出的风险，出现严重后果。一旦出现，则应立即停止手法，请相关专科会诊，做好对症处理。

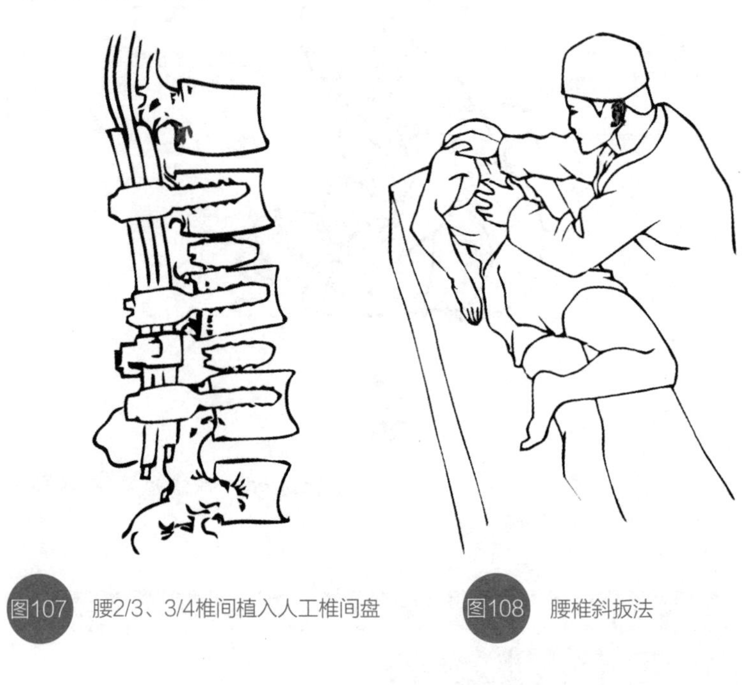

图107 腰2/3、3/4椎间植入人工椎间盘

图108 腰椎斜扳法

（康雄、林峰、林廷章）

## 84. 为什么任意腰椎植入人工椎间盘后不适用一维调曲法？出现相关症状怎么办？

答：由于人工椎间盘没法像腰椎自身椎间盘那样具有液

态静力而使所在节段椎体具备正常的伸缩、前屈后仰、左右侧屈、左右旋转的功能。如果对腰椎植入人工椎间盘者采用一维调曲法（图109），即俯卧纵轴骨盆牵引，由于植入人工椎间盘的节段不像正常脊柱一样具备伸缩功能，所以不但没有扩大椎间隙的牵引作用，反而可能造成植入物松脱，带来严重后果，所以不适用此法。一旦出现症状加重，则应立即停止牵引，并请相关专科会诊，做好对症处理。

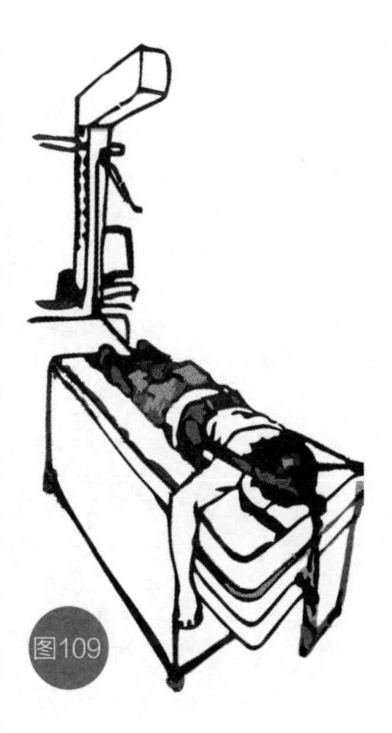
图109

（林远方、康雄、林峰）